Ödön von Horváth
Leben und Werk
in Dokumenten und Bildern

Herausgegeben
von Traugott Krischke
und Hans F. Prokop

Suhrkamp

suhrkamp taschenbuch 67
Erste Auflage 1972

Suhrkamp Taschenbuch Verlag

Druck: Ebner, Ulm · Printed in Germany
Umschlag nach Entwürfen
von Willy Fleckhaus und Rolf Staudt

suhrkamp taschenbuch 67

Ödön von Horváth (1901–1938) ist als kritischer deutschsprachige
Dramatiker in seiner Bedeutung neben Bert Brecht gestellt worden
»aufgewertet in den Rang eines Klassikers« (Peter Wapnewski)
Sein Œuvre trifft – schrieb Piero Rismondo 1971 – »haargena
den geistigen Zustand, den wir im Moment durchleben, mit sei
nen Spannungen, Fragen und Fragwürdigkeiten, und es kritisier
ihn bereits.«
Parallel zur Gesamtausgabe der Werke Ödön von Horváths in
Suhrkamp Verlag sammelt dieser Band die wichtigsten Zeugniss
zu Leben und Werk Horváths. Auf der Basis der Wiener Hor
váth-Ausstellung und des Berliner Horváth-Archivs werden erst
mals Privatfotos und Dokumente veröffentlicht, die Horváths Le
bensweg und die Geschichte und Rezeption seines Werkes mar
kieren.
Die Herausgeber folgen streng chronologischen Gesichtspunkte
im Kontext zu Werk und Realisation bei Lebzeiten und verfah
ren, nach der zehnjährigen Cäsur zwischen Horváths Tod un
der ersten Nachkriegsinszenierung eines seiner Stücke, aufführungs
chronologisch. Neben den Materialbänden zu Horváth und sei
nem Werk in der edition suhrkamp stellt diese Publikation ein
weitere Ergänzung zur Gesamtausgabe dar.

Gott, was sind das für Zeiten! Die Welt
ist voll Unruhe, alles drunter und drüber,
und doch weiß man nichts Gewisses!
Man müßte ein Nestroy sein, um all das
definieren zu können, was einem undefiniert
im Wege steht!

Ödön von Horváth

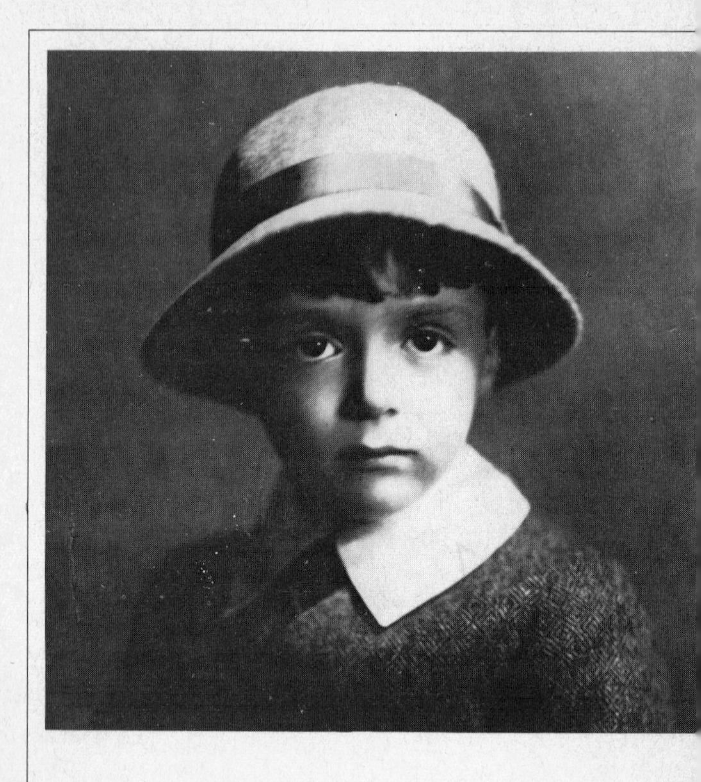

Geboren bin ich am 9. Dezember 1901, und zwar in Fiume a
der Adria, nachmittags um dreiviertelfünf (nach einer anderer
Überlieferung um halbfünf). Als ich zweiunddreißig Pfund wog
verließ ich Fiume, trieb mich teils in Venedig und teils auf dem
Balkan herum und erlebte allerhand, u. a. die Ermordung S. M
des Königs Alexanders von Serbien samt seiner Ehehälfte. Al
ich 1,20 Meter hoch wurde, zog ich nach Budapest und lebte
dort bis 1,21 Meter. War dortselbst ein eifriger Besucher zahl-
reicher Kinderspielplätze und fiel durch mein verträumtes und
boshaftes Wesen unliebenswert auf. Bei einer ungefähren Höhe
von 1,52 erwachte in mir der Eros, aber vorerst ohne mir ir-
gendwelche besondere Scherereien zu bereiten – (meine Liebe zu
Politik war damals bereits ziemlich vorhanden).

Mein Interesse für Kunst, insbesondere für die schöne Literatur, regte sich relativ spät (bei einer Höhe von rund 1,70), aber erst ab 1,79 war es ein Drang, zwar kein unwiderstehlicher, jedoch immerhin. Als der Weltkrieg ausbrach, war ich bereits 1,67 und als er dann aufhörte bereits 1,80 (ich schoß im Krieg sehr rasch empor). Mit 1,69 hatte ich mein erstes ausgesprochen sexuelles Erlebnis – und heute, wo ich längst aufgehört habe zu wachsen (1,84), denke ich mit einer sanften Wehmut an jene ahnungsschwangeren Tage zurück.
Heut geh ich ja nurmehr in die Breite – aber hierüber kann ich Ihnen noch nichts mitteilen, denn ich bin mir halt noch zu nah.

Die Mutter Ödön von Horváths
Maria Hermine von Horváth geb. Prehnal

Der Vater Ödön von Horváths
Edmund Josef von Horváth

Königreich: Jugoslavien

Diözese: Senjsko-Modruska
Komitat: Primorsko-Krajiska
Ort: Susak

T a u f s c h e i n

Jahr, Tag, Monat der Geburt: 9. Dezember 19o1
Jahr, Tag, Monat der Taufe: 23. Dezember 19o1

Des Getauften Name und Abstammung
(legitim, illegitim) : Edmund, Josef
legitim

Seiner Eltern Zuname u. Beruf des Vaters: Dr.Edmund Josef
v. Horvath
Ministerialrat
der Mutter: Maria Hermine
Prehnal

Religion: röm.kath.

Wohnort: Susak

Der Taufpaten Name, Zuname und Beruf: Josef Prehnal und
Maria Prehnal

Des Taufenden Name, Zuname und Stand: K.Loncaric, Geistlicher

Abschrift der deutschen Übersetzung
des Matrikel-Auszuges

Dr. Edmund Josef von Horváth im Kreise
. M. der Königin und S. M. des Königs, Ludwigs III., von Bayern

Meine Generation, die in der großen Zeit die Stimme mutierte, kennt das alte Österreich-Ungarn nur vom Hörensagen, jene Vorkriegsdoppelmonarchie, mit ihren zweidutzend Nationen, mit borniertestem Lokalpatriotismus neben resignierter Selbstironie, mit ihrer uralten Kultur, ihren Analphabeten, ihrem absolutistischen Feudalismus, ihrer spießbürgerlichen Romantik, spanischen Etikette und gemütlichen Verkommenheit.
Meine Generation ist bekanntlich sehr mißtrauisch und bildet sich ein, keine Illusionen zu haben. Auf alle Fälle hat sie bedeutend weniger als diejenige, die uns herrlichen Zeiten entgegengeführt hat. Wir sind in der glücklichen Lage, glauben zu dürfen, illusionslos leben zu können. Und das dürfte vielleicht unsere einzige Illusion sein. Ich weine dem alten Österreich-Ungarn keine Träne nach. Was morsch ist, soll zusammenbrechen, und wäre ich morsch, würde ich selbst zusammenbrechen, und ich glaube, ich würde mir keine Träne nachweinen.

4785. Sussak.

wurde in Fiume geboren, bin in Belgrad, Budapest, Preß-
g, Wien und München aufgewachsen und habe einen ungari-
en Paß – aber »Heimat«? Kenn ich nicht. Ich bin eine ty-
h altösterreichisch-ungarische Mischung: magyarisch, kroatisch,
tsch, tschechisch – mein Name ist magyarisch, meine Mut-
prache ist deutsch. Ich spreche weitaus am besten Deutsch,
reibe nurmehr Deutsch, gehöre also dem deutschen Kultur-
is an, dem deutschen Volke. Allerdings: der Begriff »Vater-
d«, nationalistisch gefälscht, ist mir fremd... Also, wie gesagt:
habe keine Heimat und leide natürlich nicht darunter, son-
n freue mich meiner Heimatlosigkeit, denn sie befreit mich
einer unnötigen Sentimentalität.

1905: Ödön von Horváth und sein Bruder Lajos

dmund Josef von Horváth mit seinen Söhnen Ödön und Lajos

3

.... törzslapszám.

A tanuló törzslapja.

A tanuló neve: Horváth Ödön

Születésének helye (község, megye): Trsát Horvátorsz.

„ éve, hónapja és napja: 1901. dec. 9én.

Vallása: róm. kath. Anyanyelve: magyar

Minő nyelveket beszél még: —

Beoltatott-e? igen Újraoltatott-e? nem

Állott-e ki valóságos himlőt? —

Tandíjfizető-e? igen

Szülője vagy helyettesének*
- neve: H. Ödön
- foglalkozása: min. titkár
- lakása: Damjanich. u. 52.

Esetleges lakásváltozások:

* A szülő helyettese alatt a tanuló gyámját vagy gondviselőjét kell érteni.

1*

15

19*08/9.* ISKOLAÉV. *b.* II. osztály.

Tantárgyak		I. félév	II. félév
Hittan és erkölcstan		1	*1909. június 19-én magánvizsgálatot tett; erről bizonyítványt kapott.* [signature]
Beszéd- és értelem-gyakorlatok		1	
Írás		1	
Olvasás		1	
Magyar nyelv		2	
Számolás		2	
Éneklés		1	
Rajzolás		1	
Kézimunka		—	
Testgyakorlás		1	
Írásbeli dolgozatok külső alakja		1	
Magaviselete		1	
Szorgalma		1	
Mulasztott órák	igazolt	55	
	nem igazolt	—	
	összesen	55	

A következő osztályba föl-léphet.

I. félév: *Alapi István* tanító.

Tudomásul vette:

(A szülő vagy helyettesének aláírása.)

II. félév: tanító.

Tudomásul vette:

(A szülő vagy helyettesének aláírása.)

908/09: Volksschulzeugnis Ödön von Horváths

1908: Die Familie Horváth

1910: Die Familie Horvát

Lajos und Ödön von Horváth

. . . Während meiner Schulzeit wechselte ich viermal die Unterrichtssprache und beendete fast jede Klasse in einer anderen Stadt. Das Ergebnis war, daß ich keine Sprache ganz beherrschte. Als ich das erste Mal nach Deutschland kam, konnte ich keine Zeitung lesen, da ich keine gotischen Buchstaben kannte, obwohl meine Muttersprache die deutsche ist. Erst mit vierzehn Jahren schrieb ich den ersten deutschen Satz. . . .

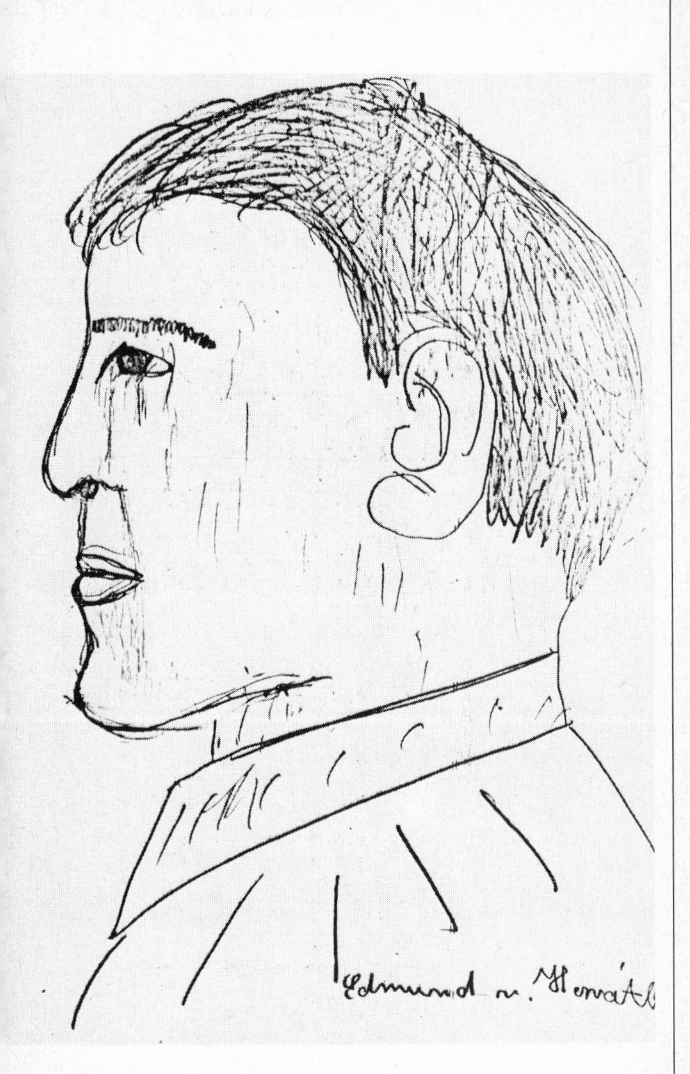

Selbstporträt Ödön von Horváths

1910: Zeichnungen Ödön von Horváths

1910: Ödön und Lajos von Horváth mit ihren Eltern

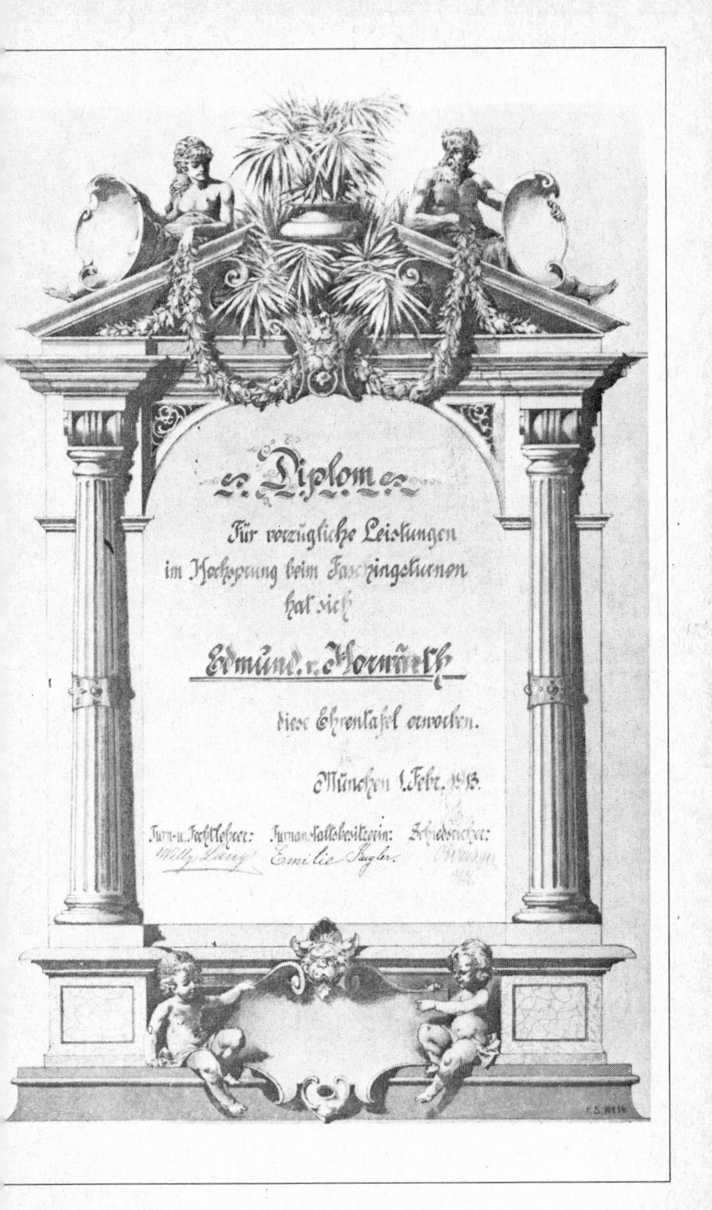

Diplom

Für vorzügliche Leistungen
im Hochsprung beim Faschingsturnen
hat sich

Edmund v. Horváth

diese Ehrentafel erworben.

München 1. Febr. 1913.

Turn- u. Fechtlehrer: Willy Lang
Turnanstaltsbesitzerin: Emilie Jagler
Schiedsrichter:

Luci in Macbeth

Eine Zwerggeschichte v. Ed. v. Horváth

„So sieht der „liebe" Luci aus
Der in Belgrad ist zuhaus."
Da packt dich schon ein kalter Graus
Und du reißt schleunigst aus.
Doch lieber Leser bleibe hier
Aus Lucis Leben muß ich dir
Eine Schauergeschichte erzählen:

Der Luci war zwölf Jahre alt
Als er schon ganz Sau kalt
In „Macbeth", „Hamlet" usw.
Hat gehen wollen ganz heiter.

Da kaufte ihm ein Billet
Der „liebe" Papa für „Macbeth"

Um Punkt Sieben die
Vorstellung began
Der Luci vor Neugierde zerann.

Und endlich als es losging
Der Luci zu heulen anfing.

Jugenddichtung Ödön von Horváths

Weil auf der Bühne – oh schaurig
Drei Hexen jodelten fürchterlich

Der Luci wußte nicht wie es kam
Als ihm die erste Träne ran

Die Hexen jodelten immerzu fort
Dem Luci schien es nicht geheuer am Ort

Und als endlich das erste Bild aus war
Da flüchtete Luci aus dem Lokal

Er rannte in einer Tour bis nach Haus
„Die Vorstellung war für mich ein Graus"

Und sogar in der Nacht
Ist er oft aufgewacht.

Denn vor Geister fürchtet er sich sehr
Und Geister kamen immer noch mehr.

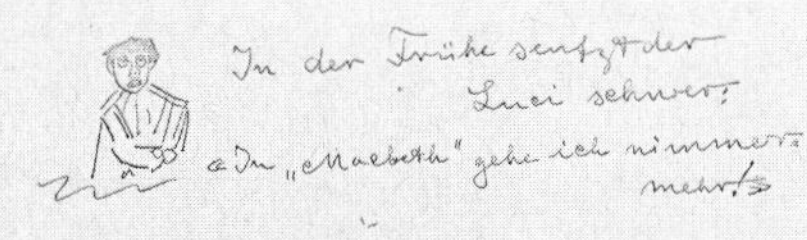

In der Früh seufzt der Luci schwer:
„In „Macbeth" gehe ich nimmer: mehr!"

Diese Geschichte giebt dir eine Lehre:
In das Theater gehören keine Zwerge!

Ed. v. Horváth

Der Attentäter Princip wird verhaftet.

Der Erzherzog-Thronfolger Franz Ferdinand d'Este mit seiner Gemahlin kurz vor der Abfahrt vom Konak in Sarajewo zur Stadtrundfahrt am 28. Juni 1914.

fassunslos und tief erschuettert ueber das unbegreifliche
melde ich ganz gebrochen dass bei fahrt durch sarajevo
sr kaiserl hoheit und ihre hoheit durch schuesse von
ruchloser moerderhand getroffen und schwer verwundet
wurden nach sofortiger ueberfuehrung in den konak wo
sofort aerztliche hilfe zur stellle war war eine retung
durch menschliche hand ausgeschlossen und veschieden
die hoheiten nach wenigen minuten ohne das Bewusstsein
vorher wieder erlangt zu haben ich bitte euer exzellenz
hievon sr majestaet die alleruntertaenigste meldung zu
erstatten und mir weitere befehle zukommen lassen zu
wollen die uns so lieben leichen liegen bis weitere
meldungen eintreffen im konak von sarajevo
rummerskirch

Wortlaut des Telegramms, das Baron Rumerskirch um 11 Uhr 20 an Graf Paar, den Generaladjutanten des Kaisers, richtete.

K. Wilhelms-Gymnasium München.

3 Kl.

Jahres-Zeugnis.

Widenmayerstr. 43/0

Edmund von Horváth,

Sohn des Handelsattaché der K. u. K. österr. ungarischen Gesandtschaft Herrn Dr. Edmund von Horváth in M.,

geboren am 9. Dezember 1901 zu Veršatto (Fiume),

kath. Konfession, hat im Schuljahre 1913/14 die dritte Klasse Abt. B besucht.

Der Schüler trat zu Beginn des Schuljahres aus dem erzbischöfl. Obergymnasium in Budapest in die Anstalt ein. Er beherrscht die deutsche Sprache soweit, daß er dem Unterrichte zu folgen vermochte und in den meisten Fächern bei anerkennenswertem Fleiße genügende Fortschritte erzielte. Im Deutschen freilich, wo seine Kenntnisse in Grammatik und Rechtschreibung noch unsicher sind, stehen seine Leistungen an der Grenze des Genügend, im Latein vermochte er nicht mehr zu genügen. Sein Betragen war lobenswert.

Seine Fortschritte sind:

in der Religion	genügend	in der Arithmetik	genügend
in der deutschen Sprache	genügend	in der Geschichte	genügend
in der lateinischen Sprache	ungenügend	in der Geographie	gut
in der griechischen Sprache		in der Naturkunde	gut
in der französischen Sprache		im Zeichnen	gut
in der Mathematik		im Turnen	gut

Derselbe erhält die Erlaubnis zum Vorrücken in die nächsthöhere Klasse ~~mit einem Vermerk in der lateinischen Sprache.~~

München am 14. Juli 1914.

Königliches Rektorat:

Dr Götz

Notenstufe:
sehr gut = I
gut = II
genügend = III
ungenügend = IV

Zeugnisgebühr: 50 Pfg.
Duplikat: 50 Pfg.

Ordinarius der Klasse:

Lerner.

Nr. 175. Mittwoch, den 29. Juli 1914.

Amtlicher Teil.

Seine k. und k. Apostolische Majestät haben das nachstehende Allerhöchste Handschreiben und Manifest allergnädigst zu erlassen geruht:

Lieber Graf Stürgkh!

Ich habe Mich bestimmt gefunden, den Minister Meines Hauses und des Äußern zu beauftragen, der königlich serbischen Regierung den Eintritt des Kriegszustandes zwischen der Monarchie und Serbien zu notifizieren.

In dieser schicksalsschweren Stunde ist es Mir Bedürfnis, Mich an Meine geliebten Völker zu wenden. Ich beauftrage Sie daher, das anverwahrte Manifest zur allgemeinen Verlautbarung zu bringen.

Bad Ischl, am 28. Juli 1914.

Franz Joseph m. p.

Stürgkh m. p.

An Meine Völker!

Es war Mein sehnlichster Wunsch, die Jahre, die Mir durch Gottes Gnade noch beschieden sind, Werken des Friedens zu weihen und Meine Völker vor den schweren Opfern und Lasten des Krieges zu bewahren.

Im Rate der Vorsehung ward es anders beschlossen.

Die Umtriebe eines haßerfüllten Gegners zwingen Mich, zur Wahrung der Ehre Meiner Monarchie, zum Schutze ihres Ansehens und ihrer Machtstellung, zur Sicherung ihres Besitzstandes nach langen Jahren des Friedens zum Schwerte zu greifen.

Mit rasch vergessendem Undank hat das Königreich Serbien, das von den ersten Anfängen seiner staatlichen Selbständigkeit bis in die neueste Zeit von Meinen Vorfahren und Mir gestützt und gefördert worden war, schon vor Jahren den Weg offener Feindseligkeit gegen Österreich-Ungarn betreten.

Als Ich nach drei Jahrzehnten segensvoller Friedensarbeit in Bosnien und der Hercegovina Meine Herrscherrechte auf diese Länder erstreckte, hat diese Meine Verfügung im Königreiche Serbien, dessen Rechte in keiner Weise verletzt wurden, Ausbrüche zügelloser Leidenschaft und erbittertsten Hasses hervorgerufen. Meine Regierung hat damals von dem schönen Vorrechte des Stärkeren Gebrauch gemacht und in äußerster Nachsicht und Milde von Serbien nur die Herabsetzung seines Heeres auf den Friedensstand und das Versprechen verlangt, in Hinkunft die Bahn des Friedens und der Freundschaft zu gehen.

Von demselben Geiste der Mäßigung geleitet, hat sich Meine Regierung, als Serbien vor zwei Jahren im Kampfe mit dem türkischen Reiche begriffen war, auf die Wahrung der wichtigsten Lebensbedingungen der Monarchie beschränkt. Dieser Haltung hatte Serbien in erster Linie die Erreichung des Kriegszweckes zu verdanken.

Die Hoffnung, daß das serbische Königreich die Langmut und Friedensliebe Meiner Regierung würdigen und sein Wort einlösen werde, hat sich nicht erfüllt.

Immer höher lodert der Haß gegen Mich und Mein Haus empor, immer unverhüllter tritt das Streben zutage, untrennbare Gebiete Österreich-Ungarns gewaltsam loszureißen.

Ein verbrecherisches Treiben greift über die Grenze, um im Südosten der Monarchie die Grundlagen staatlicher Ordnung zu untergraben, das Volk, dem Ich in landesväterlicher Liebe Meine volle Fürsorge zuwende, in seiner Treue zum Herrscherhaus und zum Vaterlande wankend zu machen, die heranwachsende Jugend irrezuleiten und zu frevelhaften Taten des Wahnwitzes und des Hochverrates aufzureizen. Eine Reihe von Mordanschlägen, eine planmäßig vorbereitete und durchgeführte Verschwörung, deren furchtbares Gelingen Mich und Meine treuen Völker ins Herz getroffen hat, bildet die weithin sichtbare blutige Spur jener geheimen Machenschaften, die von Serbien aus ins Werk gesetzt und geleitet wurden.

Diesem unerträglichen Treiben muß Einhalt geboten, den unaufhörlichen Herausforderungen Serbiens ein Ende bereitet werden, soll die Ehre und Würde Meiner Monarchie unverletzt erhalten und ihre staatliche, wirtschaftliche und militärische Entwicklung vor beständigen Erschütterungen bewahrt bleiben.

Vergebens hat Meine Regierung noch einen letzten Versuch unternommen, dieses Ziel mit friedlichen Mitteln zu erreichen, Serbien durch eine ernste Mahnung zur Umkehr zu bewegen.

Serbien hat die maßvollen und gerechten Forderungen Meiner Regierung zurückgewiesen und es abgelehnt, jenen Pflichten nachzukommen, deren Erfüllung im Leben der Völker und Staaten die natürliche und notwendige Grundlage des Friedens bildet.

So muß Ich denn daran schreiten, mit Waffengewalt die unerläßlichen Bürgschaften zu schaffen, die Meinen Staaten die Ruhe im Innern und den dauernden Frieden nach außen sichern sollen.

In dieser ernsten Stunde bin Ich Mir der ganzen Tragweite Meines Entschlusses und Meiner Verantwortung vor dem Allmächtigen voll bewußt.

Ich habe alles geprüft und erwogen.

Mit ruhigem Gewissen betrete Ich den Weg, den die Pflicht Mir weist.

Ich vertraue auf Meine Völker, die sich in allen Stürmen stets in Einigkeit und Treue um Meinen Thron geschart haben und für die Ehre, Größe und Macht des Vaterlandes zu schwersten Opfern immer bereit waren.

Ich vertraue auf Österreich-Ungarns tapfere und von hingebungsvoller Begeisterung erfüllte Wehrmacht.

Und Ich vertraue auf den Allmächtigen, daß Er Meinen Waffen den Sieg verleihen werde.

Franz Joseph m. p.

Stürgkh m. p.

'itelseite der »Wiener Zeitung« vom 29. 7. 1914:
ranz Josef I., Kaiser von Österreich, Manifest »An meine Völ-
er« am Tage der Kriegserklärung an Serbien

»Die Offiziere der Garnison Leoben gehen in blumengeschmück
ten Waggons an die Front ab.«

Als der sogenannte Weltkrieg ausbrach, war ich dreizehn Jahr
alt. An die Zeit vor 1914 erinnere ich mich nur, wie an ei
langweiliges Bilderbuch. Alle meine Kindheitserlebnisse habe ic
im Kriege vergessen. Mein Leben beginnt mit der Kriegserklä
rung. ... Wir, die wir zur großen Zeit in den Flegeljahren sta
den, waren wenig beliebt. Aus der Tatsache, daß unsere Väte
im Felde fielen oder sich drückten, daß sie zu Krüppeln ze
fetzt wurden oder wucherten, folgerte die öffentliche Meinung
wir Kriegslümmel würden Verbrecher werden. Wir hätten un
alle aufhängen dürfen, hätten wir nicht darauf gepfiffen, da
unsere Pubertät in den Weltkrieg fiel.

»Von der Front angekommene Verwundete werden am Wiener Nordbahnhof im Beisein Erzherzog Eugens gelabt.«

Wir waren verroht, fühlten weder Mitleid noch Ehrfurcht. Wir hatten weder Sinn für Musen noch die Unsterblichkeit der Seele – und als die Erwachsenen zusammenbrachen, blieben wir unversehrt. In uns ist nichts zusammengebrochen, denn wir hatten nichts. Wir hatten bislang nur zur Kenntnis genommen.
Wir haben zur Kenntnis genommen – und werden nichts vergessen. Nie. Sollten auch heute einzelne von uns das Gegenteil behaupten, denn solche Erinnerungen können unbequem werden, so lügen sie eben.

1919: Ödön von Horváth

LUDWIG-MAXIMILIANS-UNIVERSITÄT

ARCHIV

MÜNCHEN 22, den 5. November 1957
GESCHWISTER-SCHOLL-PLATZ

Tgb. A 773/B - 57

Herrn

Traugott K r i s c h k e

V e r d e n /Aller

Große Straße 59 bei Streblow

Sehr geehrter Herr Krischke!

Auf Ihr Schreiben vom 18.10. teile ich Ihnen folgendes mit:

Edmund von H o r v á t h, geb. in Finune (Ungarn), war an der Philosophischen Fakultät der Universität München vom Winter-Semest. 1919/20 mit Winter-Semester 1921/22 immatrikuliert.

Er hat folgende Vorlesungen belegt:

Im Winter-Semester 1919/20:

v.Aster, Psychologie
Kutscher, Die klassische Periode unserer deutsch.Literatur
" , Grundsätze literarischer Kritik u. deutsche Stilkunde
" , Übungen über das deutsche Theater u.Drama der jüngsten Zeit
v.d.Leyen, Das Märchen
" , Ibsen-Björnson-Strindberg
Muncker, Gesch.d.deutschen Literatur im 18.Jahrhundert
" , Goethes Faust
Woerner, Stilistik und Ästhetik der deutschen Prosa.

Im Sommer-Semester 1920:

Aster, Allgemeine Geschichte d. Philosophie
Baeumker, Psychologie
Borcherdt, Gerhart Hauptmann u. die litterarischen Probleme seiner Zeit
Kutscher, Litterarische Kritik: Prakt.Teil
" , Allg.Theatergeschichte der Renaissance b.z.19.Jh.
v.d.Leyen, Deutsche Dichtung der Gegenwart
Woerner, Goethe

Im Winter-Semester 1920/21:

Kutscher, Repetitorium der ges.deutsch.Literatur
" , Übungen in praktischer Theaterkritik
H.Meyer, Schopenhauer, Nietsche und Leo Tolstoi
Muncker, Richard Wagners Schriften und Dichtungen

Im Sommer-Semester 1921:

Baeumker, Metaphysik
Fischer, Ästhetik
Gerstewohl, Rhetorisches Praktikum
" , Übungen im Vortrag deutscher Dichtungen
v.Kraus, Mittelhochdeutsche Übungen für Anfänger
Kutscher, Das deutsche Drama unserer Zeit
" , Prakt. Übungen lit.Kritik
v.Notthaft, Die Bekämpfung der Prostitution
Wölfflin, Die Kunst der italien.Renaissance

Die Belgbücher für das Winter-Halbjahr 1921/22 sind durch Kriegseinwirkung verbrannt.

In der Hoffnung, daß Ihnen mit diesen Angaben gedient ist, bin ich mit besten Empfehlungen,

i.A.

Boehm

(Dr.L.Boehm)
Assistentin.

ÖDÖN J. M. VON HORVÁTH

DAS BUCH DER TÄNZE

*

1 9 2 2

SCHAHIN-VERLAG ZU MÜNCHEN

MÜNCHENER EDEL-MESSE

Ständige Kunst- und Gewerbeschau / Behagliche Gesellschafts- und Erfrischungsräume / Geöffnet täglich bis abends 12 Uhr.

Konzertsaal

Mittwoch, den 26. März 1924 abends 8 Uhr

KALLENBERG-GESELLSCHAFT:

III. Literarisch-musikalischer Abend.

Vortragsfolge.

I.

Max E. Stury

Aus „Wollen, Werden, Vollenden" . . . . Paul Fuhrmann

Hedy Gura

a) Gib mir die Hand
b) Kamst, und gingst
c) Löwenzahn, Klee und Maßlieb
(Paul Fuhrmann) . . . . Siegfried Kallenberg

II.

Phantasie für Klavier nach einer Dichtung von Ö. v. Horváth . Siegfried Kallenberg

Max E. Stury

Geschichte einer kleinen Liebe . . . . Ödön von Horváth

Fanny Beiser

a) Schlaf meine kleine Braut
b) Ständchen
(Ödön v. Horváth) . . . . Siegfried Kallenberg

Am Flügel der Komponist.

Nach den Vorträgen kostenlose Besichtigung der Ausstellungs- und Erfrischungsräume. In letzteren Speisen und Getränke zu mäßigen Preisen. Reichhaltige Abendkarte.

VORANZEIGE.

Samstag den 29. März nachmittags 3½ Uhr **Großes Promenadekonzert.** Mitglieder des Konzertvereins-Orchesters. Leitung Konzertmeister Snoeck. — Sonntag den 30. März nachmittags 3½ Uhr **Populäres Konzert.** Mitglieder des Konzertvereins-Orchesters. Leitung Konzertmeister Snoeck.

Kartenvorverkauf für alle Veranstaltungen bei Max Hieber, Marienplatz, an der Konzertkasse Bauer, Wurzerstraße 16 und an der Kasse der Münchener Edelmesse.

10 Pfg.

Erstes Auftreten Ödön von Horváths in der Öffentlichkeit

Also: 1920 lernte ich hier in München in einer Gesellschaft den Komponisten Siegfried Kallenberg kennen. Ich besuchte damals die Universität und hatte, wie man so zu sagen pflegt, Interesse an der Kunst. Hatte mich selber aber in keiner Weise noch irgendwie künstlerisch betätigt — höchstens, dass ich mich mit dem Gedanken beschäftigt habe, Du könntest doch eigentlich Schriftsteller werden, Du gehst doch zum Beispiel gern ins Theater, hast bereits allerhand erlebt, widersprichst gern und oft, und manchmal hast Du doch so einen eigentümlichen Drang in Dir, auch etwas zu schreiben — ein Theaterstück zum Beispiel, oder eine Novelle oder gar einen Roman — und dann weisst Du es doch auch, dass Du nie Konzessionen machen darfst und dass es Dir eigentlich gleichgültig ist, was die Leut über Dich reden — — Pathetische Naturen fassen all diese Erkenntnisse unter dem schönen Namen "dichterische Mission" zusammen.

Nun, um also auf meinen Freund Kallenberg zurückzukommen: Kallenberg wandte sich an jenem abend plötzlich an mich mit der Frage: "Wollen Sie mir eine Pantomime schreiben?" Ich war natürlich ziemlich verdutzt, weil ich es mir garnicht vorstellen konnte, wieso er mit diesem Anliegen ausgerechnet an mich herantritt — ich war doch garkein Schriftsteller und hatte noch nie in meinem Leben irgendetwas geschrieben. Er muss mich verwechseln, dachte ich mir — und ursprünglich wollte ich ihn auch aufklären. Dann aber durchzuckte mich blitzschnell (wie man so sagt) der Gedanke, warum sollst Du es denn nicht einmal probieren, eine Pantomime zu schreiben? Ich sagte Kallenberg: Ja — setzte mich hin und schrieb die Pantomime. Die wurde dann später auch aufgeführt. Die erste Kritik, die ich über mein dichterisches Schaffen, erhalten habe, begann mit folgenden Worten: "Es ist eine Schmach — usw"

Aber ich nahm mir das nicht sehr zu Herzen, sondern fing nun an, drauflosszuschreiben. Natürlich versuchte ich es noch mit allerhand mehr oder minder bürgerlichen Berufen, aber es wurde nichts daraus — anscheinend war ich zum Schriftsteller geboren.

Aus dem maschinenschriftlichen Protokoll eines Interviews Ödön von Horváths (1932)

DÓSA.

Schauspiel aus Ungarns Geschichte von Ödön von Horváth.

I. Akt: Zu Buda im Königssaal.

I. Bild: Morgens.

Die Dienerschaft richtet den Saal.

II. Bild: Mittags. Die Versammlung der Stände.

Der Kanzler / Telegdy / Bischoff von Csanád / Der Kardinal Thomas / Dósa / Der König Wladislaw II. von Ungarn /

III. Bild: Abends. Sie schauen hinab: Telegdy und Genossen, wie sich die Bauern unten am Rákos treffen.

II. Akt:

I. Bild:

Verhinderung der Bauern, ~~die unter ?~~ – Pater Lorenz.

II. Bild:

Am Felde Rákos. Dósa und die ~~[illegible]~~ Abgesandten der Stände.

1923/24: Handschriftliche Entwürfe zu den ersten dramatischen Arbeiten Ödön von Horváths

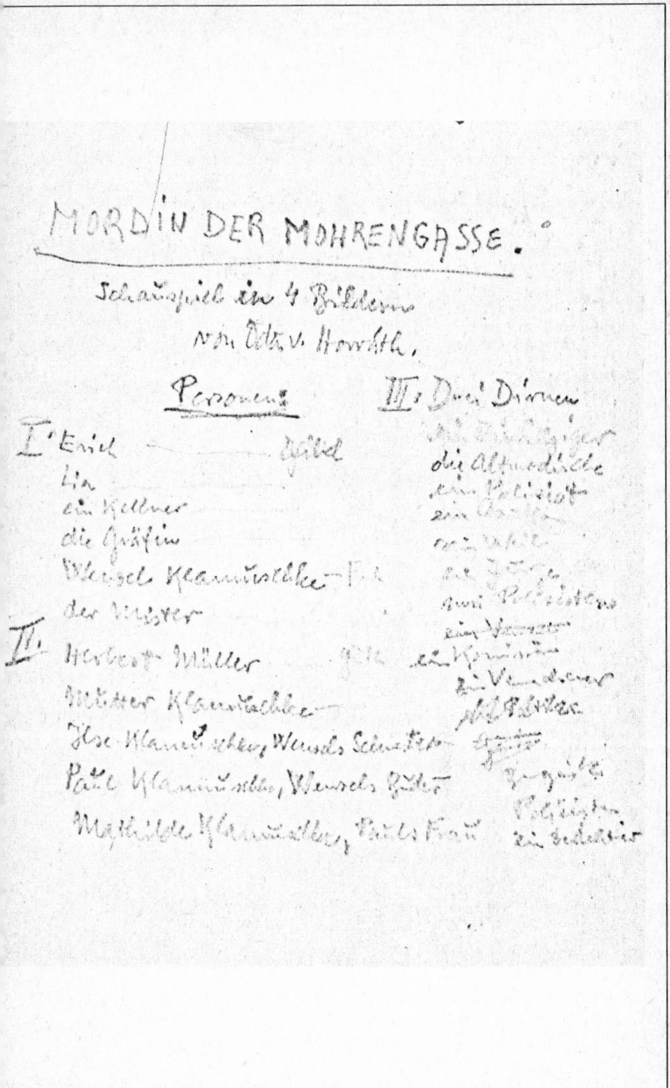

MORD IN DER MOHRENGASSE.

Schauspiel in 4 Bildern
von Ödön v. Horváth.

Personen:

I. Erich — Bibel
Lia
ein Kellner
die Gräfin
Wenzel Klamuschke — [illegible]
der Meister

II. Herbert Müller [illegible]
Mutter Klamuschke
Ilse Klamuschke, Wenzels Schwester
Paul Klamuschke, Wenzels Bruder
Mathilde Klamuschke, Pauls Frau

III. Drei Dirnen
[illegible]
die Altmodische
ein Polizist
ein [illegible]
[illegible]
ein Junge
zwei Polizisten
ein [illegible]
ein Kommissar
ein [illegible]
[illegible]
[illegible]
[illegible]
Polizisten
ein [illegible]

1923–1929: Aufenthalte Ödön von Horváths in Murnau

Ostern
1929

1

~~[illegible]~~

Wenn ~~mich man fragt~~ ich antworten soll, warum ich
nun nach Berlin übersiedelt bin und warum ich der stillen Einsamkeit des ländlichen Lebens den Rücken gekehrt habe, so muss ich
zu allererst mal nachdenken, um die Antwort richtig formulieren
zu können. Denn das ist sehr schwer.

Wohl könnte ich ~~so~~ im Augenblick sehr viel darauf
antworten, wie: Sehnsucht nach Betrieb, nach dem Herz des
Landes, die Stadt ist das Kulturzentrum,

(Ich lasse zu Fleiss das Kapitel der Existenzfrage aus.
Darüber muss man wohl nicht debattieren)

Aber das alles erschöpft es nicht richtig.

Das Problem liegt tiefer: auf dem Lande besteht
die Gefahr des „Romantisch-werden"

Der Schriftsteller Wolf Justin Hartmann und Ödön von Horváth

12

Vom artigen Ringkämpfer

Manche Menschen besitzen das Pech zu spät geboren worden zu sein. Hätte zum Beispiel der Ringkämpfer, den dies Märlein des öfteren ringen sah, Sonne und Sterne nur tausend Jahre früher von der Erde aus erblickt, so wäre er wahrscheinlich Begründer einer Dynastie geworden —— so aber wurd er nur Weltmeister.

Nichtsdestotrotz war er artig gegen Jedermann. Selbst gegen unartige Gegner, selbst gegen ungerechte Richter. Nie hörte man ihn murren —— er verbeugte sich höflich und rang bescheiden weiter; und legte Alles auf beide Schultern.

So ward er Beispiel und Ehrenmitglied aller xxxxxxxxxxxxxxxxx Ringkämpfer-Kongregationen.

Eines Nachts nun (es war nach seinem berühmten Siege über den robusten kanibalensischen Herkules) setzte sich Satan in persona an sein Bett und sprach wie eine Mutter zu ihrem Kinde:

"Ach, Du mein artiges zuckersüssesx Würmchen, wenn Du mir folgst und den bösen Erzengel besiegst, so schenk ich Dir auch etwas Wunderwunderschönes!"
"Was denn?" frug gar neugierig unser braver Ringkämpfer.
"Die Welt!" flüsterte Satan und stach mit dem Zeigefinger in die Luft.
Doch da gähnte der artige Knabe:
"Danke dafür —— bin ja bereits Weltmeister."

Typoskriptseite aus den »Sportmärchen« von Ödön von Horváth

1926: Ödön von Horváth beim Eisschießen in Murnau

926: Ödön von Horváth auf einem Maskenball in Murnau

Mein erstes Stück heisst "Die Bergbahn". Das Stück hat zum Inhalt den Kampf zwischen Kapital und Arbeitskraft, mit besonderer Berücksichtigung der Stellung der sogenannten Intelligenz im Produktionsprozess. Es wurde im Herbst 1927 in Hamburg, an den dortigen Kammerspielen uraufgeführt — erst 1929 im Januar in Berlin, an der Volksbühne.

Ich bezeichnete die "Bergbahn" (wie auch dann alle meine folgenden Stücke) als ein Volksstück. Die Bezeichnung "Volksstück" war bis dahin in der modernen dramatischen Produktion nicht gebräuchlich. Natürlic gebrauchte ich diese Bezeichnung nicht willkürlich, das heisst: nicht einfach nur deshalb, weil das Stück ein bayerisches Dialektstück ist, sondern weil mir so etwas Aehnliches, wie Fortsetzung des alten Volksstückes vorschwebte. Des alten Volksstückes, xxxxxxxxxxxxxxx das für uns junge Menschen mehr oder minder natürlich auch nur noch einen historischen Wert bedeutet. Denn die Gestalten dieser Volksstücke, also die Träger der Handlung haben sich doch bekanntlich in den letzten zwei Jahrzehnten ganz unglaublich verändert. Sie werden mir nun vielleicht entgegnen, dass die sogenannten ewig-menschlichen Probleme des guten alten Volksstückes, auch heute noc die Menschen bewegen. Gewiss bewegen sie sie, aber anders. Es gibt eine ga xxxxxx Anzahl ewig-menschlicher Probleme, über die unsere Grosseltern geweint haben, und über die wir heute lachen, und umgekehrt.

Will man also das alte Volksstück heute fortsetzen, so wird man natürlich heutige Menschen aus dem Volke (wie der schöne feudale Ausdruck lautet) auf die Bühne bringen — also: Kleinbürger und Proletarier. Ich übergehe hier absichtlich den Bauernstand, denn auch der Bauernstand zerfällt ja in Kleinbürger und Proletarier.

Also: zu einem heutigen Volksstück gehören heutige Menschen — und mit dieser Feststellung gelangt man zu einem interessanten Resultat: nämlich, will man als Autor wahrhaft gestalten, so kann man an der völligen Zersetzung der Volksstücksprache (und seine Ursache) durch den Bildungsjargon nic vorübergehen. Der Bildungsjargon fordert aber zu Kritik heraus — und so muss der Dialog des neuen Volksstückes zu einer Synthese von Ernst und Ironie werden.

Maschinenschriftliches Protokoll eines Interviews von Ödön vo Horváth (1932)

Theater am Bülowplatz

Freitag, den 4. Januar 1929, abends 8 Uhr

Zum **1.** Male

Die Bergbahn

Volksstück in 3 Akten (7 Bildern)
von Ödön Horváth.

Regie: Viktor Schwanneke.

Bühnenbilder: Edward Suhr.

Karl	*Wolfgang Helmke*
Schulz	*Wolfgang Staudte*
Veronika	*Grete Bäck*
Xaver	*Siegmund Nunberg*
Sliwinski	*Friedrich Gnas*
Reiter	*Hans Baumann*
Moser	*Ernst Karchow*
Oberle	*Adolf Manz*
Maurer	*Paul Kaufmann*
Hannes	*Ernst Ginsberg*
Simon	*Fritz Klaudius*
Ingenieur	*Peter Ihle*
Aufsichtsrat	*Viktor Schwanneke*

Schauplatz: Hochgebirge.

I. Akt: 1. Bild: In der Arbeiterbaracke.
II. Akt: 2. Bild: Vor der Arbeiterbaracke.
3. Bild: Steiler Grat.
4. Bild: Vor der Arbeiterbaracke.
III. Akt: 5. Bild: Die Hilfsstütze.
6. Bild: Schneesturm.
7. Bild: Schwarze Wand.

Technische Leitung: Hans Sachs.

Beleuchtung: Hugo Diesner.

Pause nach dem II. Akt (4. Bild). Ende 10 Uhr.

Die Kunst dem Volke

DER PREIS FÜR DAS PROGRAMMBLATT IST IM VORSTELLUNGSBEITRAG MIT EINBEGRIFFEN
ZUSPÄTKOMMENDE DÜRFEN VON DEM SCHLIESSER ERST NACH DEM ERSTEN AKT EINGELASSEN WERDEN

4. 1. 1929: Szenenfoto und Besetzungszettel der Uraufführung »Die Bergbahn« von Ödön von Horváth

Anzeigenseite im „Vorwärts“ vom 23. Februar 1919

Erfahrene

Panzerwagenfahrer und Kraftfahrer!

meldet Euch sofort für den

Grenzschutz Ost

in der Kraftfahrer-Kaserne, Lankwitz, Marienfelder Str., Block III, Zimmer 34, Panzerkraftwagenpark.

Wer sein Vaterland liebt,

wer seine Heimat gegen spartakistischen Umsturz im Innern, gegen Angriffe von außen schützen will,

trete sofort ein ins

Freikorps Hülsen!

Abzeichen: Goldenes Eichenlaub am Kragen.

Werbezentrale:

Werbestellen:

Deutsche Männer und Frauen,

Färben

Reinigen

Stoffen, Uniformen, Kleidern, Gardinen

in 14 Tagen.

Freikorps „Dohna“

für Grenzschutz Ost

unter Armee-Oberkommando Süd

Graf zu Dohna

Flieger! Achtung!

Freiwillige

Kampfgeschwader Sachsenberg, Jüterbog.

REIN HARD

Schützt Euch selbst vor Spartakus!

Fernsprecher, Blinker, Funker, Offiziere und Einjährige, Infanteristen, Kavalleristen, Artilleristen, braucht sofort die

Brigade Reinhard

(2. Garde-Infanterie-Brigade)

Kautabak

Zigarren

Zigaretten

Wiederverkäufer

Zigarren-Geschäften

Musiker gesucht.

Zur Neuaufstellung eines Musikkorps

Freiwillige vor!

Flakleute

Königsberg i. Pr.

Batterie Schmidt

Freiwilligen-Batterie des Fußartillerie-Bataillons 26, Landsberg a. W.

Schmidt, Hauptmann u. Batterieführer.

Ausgediente Freiwillige zu den Fahnen der brandenburgischen 5. Inf.-Division

Freiwillige

meldet Euch zum Schutz Ostpreußens bei

Freiwilligen-Eskadron

2. Garde-Dragoner-Regiment Berlin, Blücherstraße 26.

Fernsprecher, Funker (Funkermechaniker) u. Blinker

Freiwillige

aller Dienstgrade und aller Truppengattungen

Festungs-Freikorps Thorn.

Freiwillige für M.-G.

5. Infanterie-Division.

Ehemalige Pioniere und Freiwillige (Schüler) für „Grenzschutz-Ost“

Euch kampferprobte Kameraden des Inf.-Reg. 341

Detachement Wehrgang

Eiserne Eskadron

der Garde-Kavallerie-Schützen-Division

Grenzschutz Ost

Handwerker

Kraftfahrer

Werbestelle d. Eisernen Eskadron

Untergang unserer Ostmark.

Das Deutschtum im Osten darf nicht untergehen!

Grenadier-Regiment zu Pferde Freiherr von Derfflinger (Neumärkisches) Nr. 3, Bromberg.

Marinesoldaten!

Freiwilligen-Zentrale der Garde-Kavallerie-Schützen-Division,

Berlin, Nürnberger Str. 70/71.

Marineregiment Madlung.

Gute Kapitalsanlage!

Eingrauer Kopf

Anzeigenseite im »Vorwärts« vom 23. Februar 1919

Aus dem Friedensvertrag von Versailles

Artikel 160

Spätestens am 31. März 1920 darf das deutsche Heer nicht mehr als sieben Infanterie-Divisionen und drei Kavallerie-Divisionen umfassen.
Von diesem Zeitpunkt an darf die Gesamtstärke des Heeres der Staaten, die Deutschland bilden, nicht einhunderttausend Mann überschreiten, einschließlich Offiziere und das Personal der Depots. Das Heer soll ausschließlich zur Aufrechterhaltung der Ordnung innerhalb des Gebietes und als Grenzschutz verwandt werden.
Die Gesamtstärke der Offiziere, einschließlich des Personals der Stäbe, einerlei wie sie zusammengesetzt sein mögen, darf viertausend nicht überschreiten.

Artikel 173

Die allgemeine militärische Dienstpflicht wird in Deutschland abgeschafft.
Die deutsche Armee darf nur durch freiwillige Verpflichtung gebildet und ergänzt werden.

SLADEK: Der intelligente Mensch gibt seinen Denkfehler zu, ich denk heut auch etwas anders, obwohl ich immer recht gehabt hab, aber es war alles durcheinander. Ich hab mich mit dem Vaterland verwechselt.
Es wird zwar immer gemordet, weil man ja nicht anders kann, aber das darf der Einzelne nur als Teil, obwohl ja ganz zu guter Letzt alles für den Einzelnen ist. Es ist aber komisch, daß, wenn man sich als Teil selbständig macht, zum Beispiel beim Morden, man das Gefühl hat, als sollt man doch anders tun, obwohl man doch muß.
Hörst du mich?

SCHMINKE: Ja.

SLADEK: Zum Beispiel für das Vaterland darf der Einzelne als Teil zum Beispiel jeden Mord begehen. –

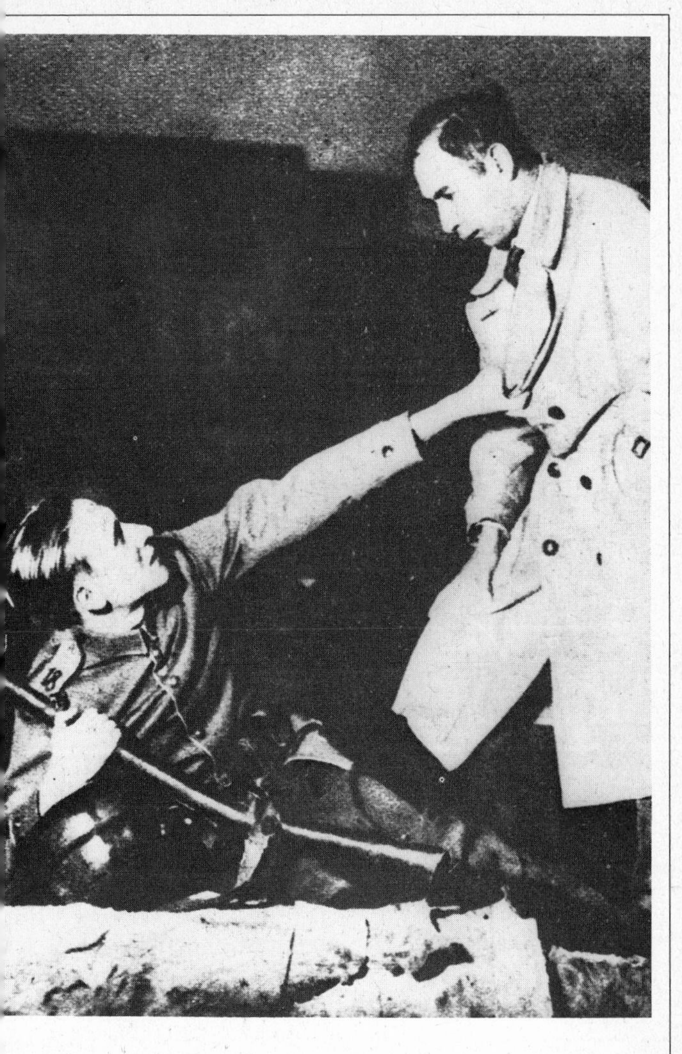

13. 10. 1929: Szenenfoto der Uraufführung von »Sladek, der schwarze Reichswehrmann« im Lessingtheater Berlin (Aktuelle Bühne) mit Otto Matthies (Sladek) und Fritz Ritter (Schminke)

Typ 1902
Gespräch mit Ödön von Horváth

Sladek ist als Figur ein völlig au
unserer Zeit herausgeborener und nu
durch sie erklärbarer Typ; er ist, wie
ein Berliner Verleger ihn einma
nannte, eine Gestalt, die zwischen
Büchners Woyzeck und dem Schwejk
liegt. Ein ausgesprochener Vertrete
jener Jugend, jenes ›Jahrgangs 1902‹
der in seiner Pubertät die ›große Zeit‹
Krieg und Inflation, mitgemacht hat
ist er der Typus des Traditionslosen
Entwurzelten, dem jedes feste Funda
ment fehlt, und der so zum Prototyp
des Mitläufers wird. Ohne eigentlich
Mörder zu sein, begeht er einen Mord
Ein pessimistischer Sucher, liebt er die
Gerechtigkeit – ohne daß er an sie
glaubt, er hat keinen Boden, keine
Front ...

Die inhaltliche Form meines Stücke
ist historisches Drama, denn die Vor
gänge sind bereits historisch gewor
den. Aber seine Idee, seine Tenden
ist ganz heutig. Ich glaube, daß ein
wirklicher Dramatiker kein Wor
ohne Tendenz schreiben kann. Es
kommt nur darauf an, ob sie ihm be
wußt wird oder nicht. Allerdings lehne
ich durchaus die dichterische Schwarz
Weiß-Zeichnung, auch im sozialen
Drama, ab. Da ich die Hauptprobleme
der Menschheit in erster Linie von
sozialen Gesichtspunkten aus sehe
kam es mir bei meinem ›Sladek‹ vor
allem darauf an, die gesellschaftlichen
Kräfte aufzuzeigen, aus denen diese
Typus entstanden ist.

Herbert Ihering im Börsen-Courier:

Ein törichtes Stück ... ein Zeitrichter ist Herr Horváth nicht.

Alfred Kerr im Berliner Tageblatt:

Propagandastück mit Kunst? Manchmal. Zwischendurch die Spuren eines Dichters.

F. S-s im Berliner Abendblatt:

Bitte nur so fortzufahren, meine Herren und Damen von der kommunistischen Avantgarde, und ihr werdet bald eure Reihen betrüblich gelichtet sehen. So faustdicke Dummheiten darf man einem Berliner literarischen Publikum, selbst wenn es überwiegend aus Parteifreunden besteht, denn doch nicht vorsetzen. ... Immerhin, ein Dichter hätte aus einer solchen Figur eine tragische Erscheinung formen können. Aber der ehemalige ungarische Graf Ödön von Horváth, jetzt eine Zierde des deutschen Kommunistenlagers, macht daraus nur ein lächerliches Bürschlein und einen fadenscheinigen Schwätzer, dem kein Tropfen Blut durch die Adern fließt. Also, bitte, nur so fortzufahren, meine Herrschaften. Eklatanter könnt ihr nicht erweisen, wes Geistes Kinder ihr seid!

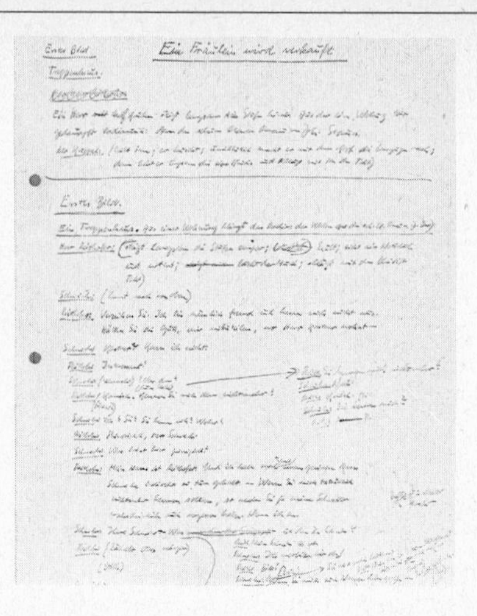

Erstes Bild

Ein Fräulein wird verkauft

Erstes Bild.

1928/29: Handschriftliche Konzepte Ödön von Horváths

Von Kongress zu Kongress

Lustspiel von Ödön Horváth

Erster Teil

I. Kongressende. Sekretär – Anna, die Sekretärin

Anna – Valentin.

(I.) Transparent.

Sekretär: Die Stadt steht im Zeichen des Kongresses. Der Kongress verspricht grossartig zu werden. Es sind bereits indische Delegierte eingetroffen. Auch aus Peru. Es sind insgesamt 62 Staaten vertreten.

Ein Journalist: Wer ist nicht vertreten?

Sekretär: Die Staaten, die nicht vertreten sind, spielen eine höchst untergeordnete Rolle.

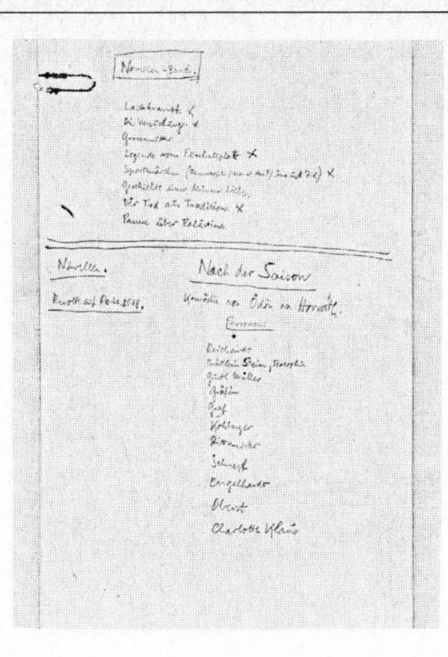
Nach der Saison

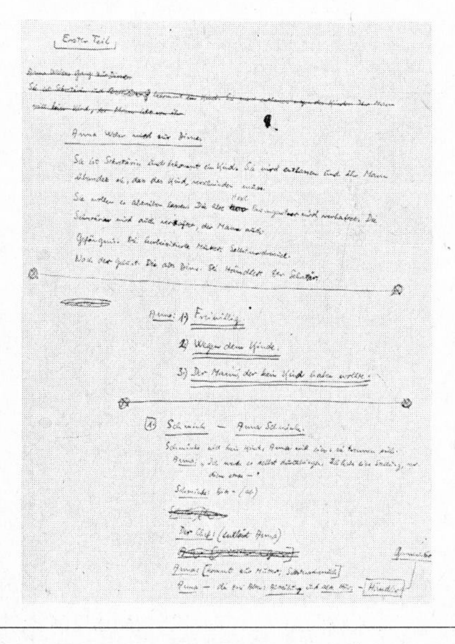
Erster Teil

Anna: 1) Freiwillig.

2) Wegen dem Kinde.

3) Der Mann, der kein Kind haben wollte.

Der Mittelstand.

Der Mittelstand ist eine Klasse, eine eigene zwischen 2 anderen, brüt. Seine Grenzen verwischen sich, aber es ist doch eine Klasse, kein Übergang, eine Klasse mit eigener Ideologie.

Mit einer Ideologie, die nur scheinbar schwer ramponiert worden ist. (Horn)

Die Durchgangstation für wenige Einzelne aus dem Proletariat ins Kapital.

Der Mittelstand ist fast gleich mit der Familienkultur. Er hat sich von der Horde losgelöst, aber er ist noch nicht fähig zur sittlichen Gemeinschaftsidee.

Wir erleben eine Renaissance des Mittelstandes. Mächtig sitzt er in Vorkriegen im alten Europa – er trägt aber natürlich die Keime des Zerfalls in sich.

Die Entstehung der Familie liegt unter dem grauen Himmel der Prähistorie.

Zeichnung von Lajos von Horvath

Ödön Horváth: Der ewige Spießer

Propyläen-Verlag, Berlin

Der Spießer ist bekanntlich ein hypochondrischer Egoist, und so trachtet r danach, sich überall feige anzupassen und jede neue Formulierung der dee zu verfälschen, indem er sie sich aneignet.

Wenn ich mich nicht irre, hat es sich allmählich herumgesprochen, aß wir ausgerechnet zwischen zwei Zeitaltern leben. Auch der alte Typ es Spießers ist es nicht mehr wert, lächerlich gemacht zu werden; wer hn heute noch verhöhnt, ist bestenfalls ein Spießer der Zukunft. Ich sage Zukunft", denn der neue Typ des Spießers ist erst im Werden, er hat ich noch nicht herauskristallisiert.

Es soll nun versucht werden, in Form eines Romanes einige Beiträge ur Biologie dieses werdenden Spießers zu liefern. Der Verfasser wagt atürlich nicht zu hoffen, daß er durch diese Seiten ein gesetzmäßiges Veltgeschehen beeinflussen könnte, jedoch immerhin. *Ödön Horváth*

*

ca. 1931: Ödön von Horváth

Anton Kuh über Ödön von Horváth

Dieser Ödön von Horváth, dessen Name so eigenartig nach Mord-Chronik, Steckbrief, k. k. Armee-Überbleibsel klingt, ist ein Ausnahmefall unter den Exzedenten seines Geschlechts. Ein amorphes Stück Natur; vulgär wie ein Noch-nicht-Literat, souverän wie ein Nicht-mehr-Literat; aus Elementarem und Dilettantischem gemengt. So könnte die Rohschrift eines großen satirischen Erzählers aussehen; aber auch die Reinschrift eines genialen Abenteurers, der sich für einen Schriftsteller ausgibt. Doch wie immer die Zukunft diese Unbestimmtheit kläre: wie unaffektiert ist die Derbheit dieses Zuchtlosen, wie unrenommistisch seine Kühnheit, wie phrasenlos seine Überzeugtheit im Vergleich zu allen andern, von Bronnen bis zum Lampel!

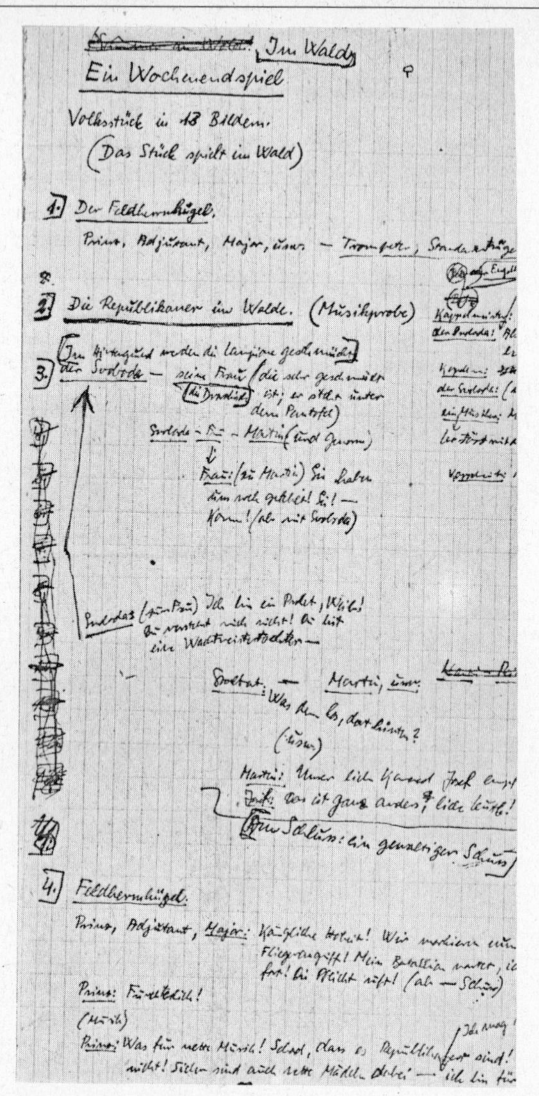
Im Wald

Ein Wochenendspiel

Volksstück in 13 Bildern.

(Das Stück spielt im Wald)

1. Der Feldherrnhügel.

Prinz, Adjutant, Major, usw. — Trompeter, Standartenträger

2. Die Republikaner im Walde. (Musikprobe)

3.

4. Feldherrnhügel.

»Italienische Nacht«: Erster Entwurf.

- 45 -

das wird wohl das Alter sein. Ob ich mich auch so verändert hab?

Stadtrat: (zuBetz) Ich bitt Dich betz, so lass sie doch in Ruh!

Wirt: (erscheint; er ist schwer besoffen und grüsst torkelnd, doch keiner beachtet ihn; er grinst) Guten Abend, Leutl!(Schweigen) Auch gut! Boykottiert mich nur, boykottiert mich nur! Mir ist schon alles wurscht, ich wein Euch keine Träne nach! Ueberhaupt sind die Reaktionäre viel kulantere Gäst-- Euere jungen Leut saufen ja bloss so bloss a Limonad! Feine Republikaner! Limonad, Limonad!

Kranz: Halts Maul!

Wirt: (plötzlich verträumt) Ich denk jetzt an meinen Abort. Siehst, früher da waren nur so erotische Sprüch an der Wand dringstanden, hernach im Krieg lauter patriotische und jetzt lauter politische-- glaubs mir: solangs nicht wieder erotisch werden, solang wird das deutsche Volk nicht wieder gesunden--

Kranz: Halts Maul, Wildsau dreckige!

Wirt: Wie bitte?-- Heinrich, Du bist hier noch der einzig vernünftige Charakter, was hat jener Herr dort gesagt?

Betz: Er hat gesagt, dass Du Dein Maul halten sollst.

Wirt: Hat er? Dieser schlimme Patron-- Apropos: ich hab eine reizende Neuigkeit für Euch, liebe Leutl!

Kranz: Wir sind nicht Deine lieben Leutl!

Wirt: Was hat er gesagt?

Betz: Dass wir nicht Deine lieben Leutl sind, hat er gesagt.

Wirt: Hat er das gesagt?-- Alsdann: meine Herren! Ich beehre mich, Ihnen eine hocherfreuliche Mitteilung zu machen: Sie sind nämlich umzingelt, meine Herren, redikal umzingelt!

»Italienische Nacht«: Typoskriptblatt.

20. 3. 1931: Szenenfoto der Uraufführung von »Italienische Nacht im Theater am Schiffbauerdamm Berlin (Produktion Ernst Jose Aufricht) mit Berta Drews (Anna) und Fritz Kampers (Martin

ANNA: Was du da nämlich von mir verlangst, daß ich mich nämlich mit irgendeinem Faschisten ein laß – und daß gerade du das verlangst –

MARTIN: Was sind denn das für neue Gefühle?

ANNA: Nein das waren alte –

MARTIN: Du weißt, daß ich diese primitiven Sentimentalitäten nicht mag. Was sollen denn diese überwundenen Probleme? Nur keine Illusionen bitte!

ANNA: Jetzt redst du wieder so hochdeut

Gymnastikschule Medau

Berlin-Schöneberg, Innsbrucker Str. 44

Berufsausbildung und Stadtkurse

Ausbildung der für berufliche und künstlerische Tätigkeit nötigen Grundbewegungen
Herren-, Damen- u. Kinderkurse / Neue Räume / Hygienische Garderoben / Brauseanlagen
Eintritt jederzeit / Sonderkurse nach Vereinbarung / Prospekt, Auskunft und
Anmelduug durch das Sekretariat Innsbrucker Str. 44, Fernspr.: Stephan 1915

Kugellager für alle Zwecke wie:

Maschinen, Apparate, Fahrzeuge
liefert erheblich unter üblichen Tagespreisen
FINDLING & Co., BERLIN SW 61

Theater am Schiffbauerdamm

Direktion: Ernst Josef Aufricht

Italienische Nacht

Volksstück in 7 Bildern von Ödön Horvath

Regie: Francesco von Mendelssohn

Technische Leitung: Hans Sachs

Bühnenmusik: Bernhard Eichhorn

Schreibmaschinen Neumann

*Kurfürst 3333 * Eisenacher Straße 107*

Kauf / Verkauf / Reparaturen / Tausch / Vermietung / Teilzahlung

Gut essen und trinken ...

und doch preiswert bei guter Musik in einem der schönsten Räume der Welt:

WEINRESTAURANT

TRAUBE

HARDENBERGSTRASSE 29 a–e AM ZOO

TISCHBESTELLUNGEN B 5 BARB. 9241
AB 12 UHR MITTAGS GEÖFFNET

Besetzungszettel der Uraufführung

Personen:

Stadtrat	Oskar Sima
Kranz	Walter Schramm
Engelbert	Oskar Höcker
Betz	Hans Adolfi
Wirt	Georg August Koch
Karl	Albert Hoerrmann
Martin	Fritz Kampers
Erster Kamerad	Viktor Gehring
Zweiter Kamerad	Franz Weilhammer
Dritter Kamerad	Hans Henniger
Vierter Kamerad	Wolfgang Viktor
Ein Kamerad aus Magdeburg	Otto Matthies

Ein Faschist	Otto Waldis
Der Major	Hans Alva
Der Leutnant	Peter Schöningh
Czernowitz	Helmuth Kindler
Adele	Elsa Wagner
Anna	Bertha Drews
Leni	Marianne Kupfer
Die Dvorakische	Margarete Faas
Erstes Frauenzimmer	Dela Behren
Zweites Frauenzimmer	Gerda Kuffner
Geschwister Leimsieder	Cläre Eckstein Edvin Denby
Eine Tante	Lotte Heinitz

Pause nach dem 4. Bild

Bild-Stenogramm

Mussolini bei seiner großen Rede für den Weltfrieden

„Sollen wirklich noch 60 Jahre vergehen, bis man das Wort „Ende" unter diese tragische Rechnung von Soll und Haben setzen kann, unter diese Rechnung, die mit dem Blut von 10 Millionen junger Menschen geschrieben ist, die die Sonne nicht mehr sehen werden? Kann man sagen, daß eine Gleichheit besteht zwischen

einer Volksrede

Aufnahmen Fox Tönende Wochenschau

am 9. Jahrestag des Faschismus:

den Nationen, wenn die eine Seite bis zu den Zähnen in Waffen dasteht, die andere zur Wehrlosigkeit verdammt ist? Wie kann man von Wiederaufbau sprechen, wenn nicht einige Klauseln einiger Friedensverträge geändert werden, die die Welt an den Abgrund des Zusammenbruchs und der Verzweiflung geführt haben!"

Raimund-Theater

Direktion: Dr. Rudolf Beer

Telephon der Tageskasse I., Rotenturmstraße 16 (Beler), R-26-0-56
Telephon der Tageskasse im Theatergebäude B-27-4-65

¼9 UHR — HEUTE — ¼9 UHR

Gastspiel OSKAR SIMA

ITALIENISCHE NACHT

Eine Zeitsatire in sechs Bildern von **Ödön Horvath**

In Szene gesetzt von Oskar Sima

Stadtrat	Oskar Sima	Ein Kamerad aus Magdeburg	Walter Hagemann
Kranz	Felix Krones	Der Major	Louis Groß
Engelbert	Karl Ehmann	Der Leutnant	Oskar Beraun
Betz	Karl Straup	Czernowitz	Kurt Retzer
Wirt	Eduard Loibner	Adele	Elisabeth Böhm
Karl	Hans Olden	Anna	Maria Schnorrpfeil
Martin	Karl Hödl	Leni	Liselott ~~Medelsky~~
Erster Kamerad Martins	Franz Böheim	Erstes Frauenzimmer	Helene Lauterböck
Zweiter Kamerad Martins	Günther Proschel	Zweites Frauenzimmer	Elfriede Seidler
Dritter Kamerad Martins	Oskar Weber	Die Tante	Rolla Anfon
Vierter Kamerad Martins	Erich Köhler	Frau Hinterberger	Else Föry

Ort der Handlung: Eine Kleinstadt in Süddeutschland

Bühnenbilder: Alfred Kunz

Nach dem 3. Bilde eine kurze, nach dem 4. Bilde die große Pause

Kassen-Eröffnung ¼8 Uhr — Anfang ¼9 Uhr — Ende 10 Uhr

Morgen und die folgenden Tage, Anfang ¼9 Uhr:

Gastspiel Oskar Sima. Italienische Nacht

Über behördliche Anordnung sind Oberkleider, Schirme und Stöcke an den Garderoben abzugeben. Nach den Bestimmungen der behördlich genehmigten Hausordnung haben Damen und Herren im Zuschauerraume (Logenplätze ausgenommen) die Hüte abzunehmen. Belegen der Sitzplätze ist behördlich untersagt.

„Elbemühl", Wien IX.

5. 7. 1931: Besetzungszettel der Wiener Erstaufführung

„Italienische Nacht"

[illegible] Premiere im Raimund-Theater. Von links nach rechts: Olden, Medelsky, Sima, Laibner.

Ödön Horvath in Wien

Gespräch mit dem Verfasser von „Italienische Nacht"

„Ich bin ungarischer Staatsbürger," erzählt Oedön Horvath, bin aber so viel in der Welt herumgekommen, daß ich mich als Kosmopolit fühle. Seit meinem siebzehnten Lebensjahr habe ich mich für die deutsche Sprache entschieden. Mein Vater war Handelsattaché, und durch seinen Beruf hatte ich Gelegenheit, in jungen Jahren unendlich viel zu sehen und viel zu erleben; ich lernte Belgrad, Budapest, Wien, München, Paris, Berlin, Zürich und viele andere Städte kennen. Nach agerlei nicht befriedigenden Versuchen, mir einen Beruf zu bauen, kam ich durch Zufall zur Literatur:

Bei einer Versammlung in einem der Münchener großen Säle sprach mich der Komponist Siegfried Kollenberg an und verlangte von mir eine Pantomime. Er hatte mich mit jemandem anderen verwechselt. Ich aber erfaßte die Chance des Zufalls und führte seinen Auftrag aus. Der Erfolg dieser Arbeit erwog mich, bei der Literatur zu bleiben.

Ich war Mitarbeiter des „Simplicissimus" und schrieb ein Stück, das in den Hamburger Kammerspielen aufgeführt wurde, „Die Bergbahn"; die Volksbühne in Berlin übernahm dieses Stück und brachte es, noch unter der Regie Schwanecke's heraus. Mein Roman „Der ewige Spießer" hatte gleichfalls erfreulichen Erfolg, ebenso wie mein letztes Stück „Italienische Nacht", das heute abends hoffentlich nicht enttäuschen wird. Es kam im Theater am Schiffbauerdamm in Berlin heraus, auch dort unter Mitwirkung von Oskar Sima. Der Inhalt ist mit einigen Worten schwer zu umschreiben: Es geht nicht gegen die Politik, aber gegen die Masse der Politisierenden, gegen die vor allem in Deutschland sichtbare Versumpfung, den Gebrauch politischer Schlagworte.

„Geschichten aus dem Wienerwald", ein Wiener Volksstück, ist die Arbeit, die ich eben beende; Reinhardt und Martin von der Berliner Volksbühne haben es bereits [illegible] und einer von beiden wird es im Herbst in Berlin herausbringen."

Wiener Allgemeine Zeitung vom 5. 7. 1931

Wiener Allgemeine Zeitung vom 7. 7. 1931

Raimund-Theater:

„Italienische Nacht“

Der Held dieser Zeitsatire von Oedön Horvath ist nicht ein Mensch, sondern die Masse; es ist nicht ein Drama, sondern eine Zustandsschilderung. Aus diesen beiden Einschränkungen kommen die Schwächen der „Italienischen Nacht“, die im Uebrigen vergleichbar ist einer ausgezeichneten Photographie, aufgenommen aus einem besonderen Winkel, mit merkwürdigen Verzerrungen und Verzeichnungen, die aber durchaus geeignet sind, die Charakteristika in der Uebertreibung zu betonen.

Eine Photographie, etwa vom Boden aus aufgenommen. Riesenhaft sind die unteren Teile des Körpers, klein ist die Brust, noch kleiner der Kopf. Im Hintergrund stehen die reinen Gefühle und die klaren Dinge des Verstandes, im Vordergrund die derben und dumpfen Ereignisse. Derbe Kämpfe zwischen den Parteien einer kleinen süddeutschen Stadt, Kämpfe innerhalb einer Partei zwischen den arrivierten Lässiggewordenen und den kämpfenden Oppositionellen; aus dem Allgemeinen ins Besondere übersetzt: der Kampf um die Veranstaltung einer „Italienischen Nacht“ ist der Inhalt der Satire. Dabei kommt einer so schlecht weg, wie der andere. Die dumpfen Angelegenheiten zwischen Männern und Frauen komplizieren das Milieu und machen manche antipathischen Geschehnisse verständlicher.

Denn das „politische“ Leben der Kleinstadt im heutigen Deutschland ist bestimmt von peripherischen Dingen. Die Ideale sind erreicht oder — viel öfter — unerreichbar. Die Gegensätze werden nicht mit der abgeschliffenen Klarheit und Uebersichtsfähigkeit der Zentren ausgekämpft, sondern mit den Argumenten der spießerischen Halbintelligenz, die freilich — sieht man nur ihren Lebenskreis an — von relativ spannenden und für ihre dämonischen Erschütterungen heimgesucht wird.

Eine solche Erschütterung ist für den Stadtrat die Opposition Martins und seiner Freunde und der Einbruch monarchistisch-hakenkreuzlerischer Dummköpfe. Oskar Sima hat hier einen etwas brüchigen Schlauch mit Inhalt zu füllen und tut es besser, als es sonst einer könnte. Seine Beschränkung im Unsympathischen ist das einzig Mögliche und die Darstellung desStadtrates als eines Menschen, der immer dort klein wird, wo er die Phrase nicht anbringt, ist bitter, aber aus der Wirklichkeit des heutigen Deutschland geholt. Martin, der Junge, in dem noch revolutionärer Schwung lebt, findet im Spiel Hödls eine ungenügende Stimme und Gestaltung; vielleicht deshalb, weil Hödl sich nicht entschließen kann, einen Einzelnen zu geben, sondern sich bemüht, die allgemeine Partei-Ethik zu verkörpern. (Sie steht, müßte man den Aengstlichen sagen, jenseits der Sümpfe.)

Skraup vertritt, als Kanzlist Betz, in seiner fein pointierenden Herbheit des Humors den freudlesenden Kleinstadt-Wissenschaftler jener reizvollen Mischung zwischen Unverstand und verstehender Menschlichkeit. Loibners Wirt ist das verkörperte lustige Schlachtfeld der politischen Gegensätze.

Die überragende Leistung des Abends ist Oldens Karl; hier wird die Photographie, um einmal bei dem Bild zu bleiben, zu einem Kunstwerk, das Spiel zur Wirklichkeit und unsere Begegnungen mit dem haltlos-erotischen, phrasenbedingt-sympathischen, wichtigtuerisch-liebenswürdigen Gecken werden zur hinreißenden, völlig erlebbaren Wiederholung. Gut auch die Leistungen der Damen Schnorrpfeil, Medelsky, Föry und Böhm:; sehr gut Felix Krones aus der Runde Simas und der Major von Louis Groß; die Regie lebhaft, die Bühnenbilder (Kunz) ansprechend-anspruchslos. Der Erfolg, verständlicherweise, groß und über das Maß einer Sommerpremiere weit hinausgehend.

Johannes Ilg.

Die Saalschlacht in Murnau.

Ein Zeuge, der den Nazianwälten unangenehm ist. — Pöbelhaftes Benehmen eines Nazianwalts
Der klassische SA.-Zeuge. — Ein Nazi-Zeuge nennt das Verhalten seiner Leute eine Schweinerei

Der Nationalsozialist Hans Schmid-Murnau stellte fest, daß die **Murnauer Nationalsozialisten nicht zur Versammlung geladen** waren. Er hat beobachtet, daß die **Schlägerei am Tisch des Engelbrecht ihren Anfang nahm.**

Von entscheidender Bedeutung waren **die klaren und eindrucksvollen Bekundungen des keiner Partei angehörenden** Schriftstellers Horvath, der der Versammlung beiwohnte und **als erster Mann den Kirchmeier-Saal betreten** hatte.

Ich war, führte der Zeuge aus, um 1 Uhr 14 am Bahnhof, wohin ich Bekannte begleitet hatte. Vom Bahnhof ging **ich direkt** zur Versammlung. Ich gehöre keiner Partei an. **Auf dem Bahnhof** sah ich, daß **60 bis 70 Leute** zusammen ausstiegen und gemeinsam ins Versammlungslokal gingen. Am Bahnhof sah ich **im Wartesaal den Engelbrecht stehen,** der hinter einer Glastüre die Ankommenden beobachtete. Ich wunderte mich, daß er bei dem schönen Wetter nicht heraußen stand. Bei Kirchmeier war der **hintere Teil des Saales ganz gefüllt mit den jungen Leuten, die am Bahnhof angekommen waren.** Ich wußte aber damals noch nicht, daß es Nationalsozialisten sind. An meinem Tisch saßen Reichsbannerleute. Ich hielt die uns umgebenden zahlreichen jungen Leute für Sozialdemokraten und sagte zu den Reichsbannerleuten, ihre Genossen sollten doch den Platz für die Murnauer freimachen. Darauf wurde mir erwidert, daß das **lauter Nationalsozialisten** sind und daß beabsichtigt sei, die Versammlung zu sprengen. Unterdessen kam Engelbrecht herein. Nach Auers Rede folgte eine Pause und dann sprach Engelbrecht. In meiner Umgebung war bis dahin eine ganz gemütliche Stimmung. Die Bemerkung des Engelbrecht über die Sklarek-Joppen empfand ich **als provozierend.** Es folgte dann das Heil auf Hitler und gleich darauf wurde ein Lied gesungen, wobei eine große Anzahl der im Saale Anwesenden die Hände erhob. Ich war ganz umringt von Leuten, die die Hand erhoben, und erkannte jetzt erst, daß das lauter Nationalsozialisten waren.

Die Nationalsozialisten waren absolut in der Ueberzahl.

An der Klavier- und Fensterseite hatten die meisten die Hand hochgehalten. Gleich darauf folgte der erste Wurf. **Dieser war abgezielt auf einen Tisch, an dem Reichsbannerleute saßen.** Der Krug flog unmittelbar an meinem Kopf vorbei. Er war aus nächster Nähe geworfen. Als die Nationalsozialisten die Hände erhoben, wurde uns von sechs bis sieben Seiten gleichzeitig zugerufen: **„Hände hoch!“** Jetzt war ich mir klar, daß die Versammlung gesprengt werden sollte. **Ich wunderte mich, daß die Reichsbanner-**

leute auf die Provokationen so ruhig blieben. Auf mich ging ein Nationalsozialist, den ich wegen seiner Bemerkungen zu den Reden unbedingt als solchen erkannte, zu und bedrohte mich mit einem erhobenen Stuhlbein. Als ich ihn zur Rede stellte, drehte er sich um und schlug das Stuhlbein einem andern hinauf. Das Werfen des Bierglases war der erste Teil der Schlägerei. Ich hatte den Eindruck, **daß eine verabredete Versammlungssprengung vorlag.**

Das Reichsbanner hielt bis zum Schluß Disziplin.

Bei den Reichsbannerleuten habe ich Gummiknüppel **oder andere** Waffen nirgends gesehen. Die Reichsbannerleute **an meinem** Tisch haben nur die angreifenden Nationalsozialisten **abgewehrt.** Besonders der Saalschutz wurde aus der Ecke von einer geschlossen vorgehenden Truppe von Nationalsozialisten angegriffen. **Oberwasser hatten im ersten Moment die in der Ueberzahl befindlichen Nationalsozialisten,** schließlich aber das Reichsbanner. Die ganze Schlägerei hat nur wenige Minuten gedauert. Das **„Heil Hitler"** war meines Erachtens die Parole, das heißt das **verabredete Zeichen zur Versammlungssprengung.'**

Auf die Frage des RA. Stock, ob **er auch** schon in einer Versammlung der Nationalsozialisten war und ob es dabei stürmisch zugegangen sei, **erwiderte** der Zeuge lächelnd: Gar nicht, es wurden

Kalbshaxen gegessen und revolutionäre Phrasen

gesprochen.

Natürlich setzten die gegnerischen Anwälte alle Hebel in Bewegung, den Zeugen zu verwirren und in Widersprüche zu verwickeln. Das mißglückte aber an dem absolut klaren und sachlichen Verhalten des Zeugen, der die Vorgänge im Versammlungssaal genauestens verfolgt und scharf beobachtet hatte. Auch über das Kräfteverhältnis im Saal machte der Zeuge, ausgehend von der Zahl der beim Horst-Wessel-Lied erhobenen Hände, sehr konkrete Angaben: **„Wenn im Saal 200 Leute waren, dann waren davon 150 Nationalsozialisten."** Als die Gegenanwälte gar nicht mehr anders konnten, rief RA. Stock die höchst unqualifizierbare und dazu gänzlich deplazierte Feststellung in den Saal: **„Ich stelle fest, daß es sich hier um einen Zeugen handelt, der nur Tendenzstücke gegen die Nationalsozialisten schreibt!"** Zeuge Horvath setzte sich über diesen Gefühlsausbruch mit einem überlegenen Lächeln hinweg. Anders der **Vorsitzende, der diese Entgleisung mit aller Schärfe rügte und den Anwalt zur Ordnung rief.**

Der Staatsanwalt schloß sich dem an und fügte hinzu: **Auf mich hat der Zeuge den denkbar besten Eindruck gemacht. Ich habe den Eindruck, daß er in allen Dingen, über die er nicht genau Bescheid weiß, sehr zurückhaltend war.** Ich muß bitten, **mehr Verhandlungsdisziplin** zu halten.

Münchener Post vom 23. 7. 1931

Kleist-Preis 1931

Kandidaten-Liste

K. Th. Bluth (Vorschlag Elster)
Rudolf Fitzek (Weltmann)
Joachim von der Goltz (Bloem)
Eugen Gürster (Elster)
Ödön Horvath (Weltmann)
Paul Kornfeld (Weltmann)
Arnold Krieger (Elster)
Hans Kyser (Elster)
Lola Landau (Weltmann)
Ilse Langner (Bloem, Engel)
Heinrich Lersch (Elster)
Herbert Oczeret (Elster)
Melchior Vischer (Weltmann)
Bruno Wellenkamp (Weltmann)

(nach überlieferten Aufzeichnungen)

Die Literatur. Berlin, Dezember 1931

Der diesjährige Vertrauensmann der Kleist-Stiftung, Carl Zuckmayer, hat den Kleist-Preis für das Jahr 1931 zu gleichen Teilen Ödön von *Horvath* für seine dramatischen Dichtungen und Erik *Reger* für seinen Roman „Union der festen Hand" zuerkannt.

In der Begründung des Preisrichters heißt es:

„Horvath scheint mir unter den jüngeren Dramatikern die stärkste Begabung und darüber hinaus der hellste Kopf und die prägnanteste Persönlichkeit zu sein. Seine Stücke sind ungleichwertig, manchmal sprunghaft und ohne Schwerpunkt, aber niemals wird sein Denken mittelmäßig. Was er macht, hat Format, und sein Blick ist eigenwillig, ehrlich, rücksichtslos, seine Gefahr das Anekdotische, seine Stärke die Dichtigkeit der Atmosphäre, die Sicherheit knappster Profilierung, die lyrische Eigenart des Dialogs. Es wäre ein Mißverständnis, ihn für einen Satiriker zu halten, obwohl noch einzelne seiner Figuren und Situationen satirisch gezeichnet, d. h. von einem kritischen Blickpunkt aus überzeichnet sind. Wesentlich sind aber bei ihm nicht diese Momente sondern das Weltbild und seine künstlerische Umschmelzung. Es ist anzunehmen, daß er der dramatischen Kunst, die immer und ohne Einschränkung eine Menschenkunst und eine Wortkunst bleibt, neue lebensvollere Werke zuführen wird.

Unsere Meinung

In einer Beilage zum „Schriftsteller", der Zeitschrift des „Schutzverbandes deutscher Schriftsteller" preist eine Berliner Dame ihr Vervielfältigungsbüro für Bühnen- und Hörspiel-Manuskripte an und veröffentlicht u. a. folgendes Anerkennungsschreiben: 26. Oktober 1931.

Wertes Fräulein,

indem, daß ich es einsehen muß, daß die Manuskripte von meinen Stücken infolge ihrer Satzstellungen und ihrer Regiebemerkungen äußerst schwierig zu vervielfältigen sind, habe ich festzustellen, daß Sie, wertes Fräulein, diese Vervielfältigungen kurzerhand fehlerlos tun. Besonders meine „Geschichten aus dem Wiener Wald", die wo sehr lang sind, haben Sie innerhalb 24 Stunden fix und fertig gehabt. Über sowas kann man sich natürlich nur wundern.

In diesem Sinne

Ihr Ödoen Horvath.

So also sieht das „Deutsch" des Kleistpreisträgers dieses Jahres aus, ehe es von Verlegern, Setzern oder Schauspielern druckreif und sprechbar gemacht wird. Und über sowas kann man sich nicht einmal mehr wundern. Horvath ist keineswegs der einzige Balkanliterat, der mit seinem gebrochenen Deutsch die Ohren eines perversen Berliner Publikums kitzelt. Besonders in der Filmdichtung wimmelt es von ähnlichen Kreaturen. Durch die Schamlosigkeit aber, den Namen Kleists, des höchsten Meisters deutscher Sprachkunst, mit dem eines solchen mitleiderregenden Dilettanten zu verkuppeln, hat Karl Zuckmayer hoffentlich endgültig den Kleistpreis erledigt. Kein Hund würde nach solcher Besudelung künftig den Preis noch annehmen.

*

In einem Berliner Literatenprozeß Karl Kraus-Theodor Wolff-Alfred Kerr, mit dessen Einzelheiten wir unsere Leser gern verschonen, einem reinen oder unreinen Familienzwist, in dem es sich um die verschiedenartige Einstellung Kerrs zu Max Reinhardt handelte, je nachdem ob Kerr vom „Tag", wie früher, oder vom „B. T.", wie später, bezahlt wurde, erfuhr man unter anderem Folgendes:

Kerr erklärte vor Gericht: „Ich habe Reinhardt gelobt und getadelt nach seinen Leistungen. Eine Grundtendenz lag meinen Kritiken nicht unter." Seine Gegner bewiesen ihm, daß er sich über seine „Grundtendenz" 1907 noch klarer war, indem er damals seine „begeisterte Förderung des jungen Reinhardt" so erklärte: „Reinhardt sollte damals erfunden werden." „Mit Gewalt haben wir Reinhardten hochgekriegt." Man präge sich diesen kostbaren Satz ein und halte Ohren und Augen auf, und man wird künftig weniger leichtgläubig dem Geschrei jener „wir" erliegen, wenn wieder einmal ein Reinhardt „erfunden" und „mit Gewalt hochgekriegt" werden soll.

Über die wirkliche Bedeutung des hochgekriegten Reinhardt war sich dann derselbe Kerr 1917, als er in Scherls Diensten stand, so klar, daß er schrieb: „Wenn ich, was selbstverständlich ist, Reinhardt zwischendurch lobe, so bleibt als Grundzug doch die

Richard Schaukal in »Die neue Literatur« Dezemberheft 1931

-10-

Dass ich den Kleistpreis bekommen habe, habe ich aus der Zeitung erfahren. Erst einige Tage später bekam ich die offizielle Mitteilung vom Vorsitzenden der Kleist-Stiftung, Fritz Engel.

Ein Teil der Presse begrüsste diese Preisverteilung lebhaft, ein anderer Teil wieder zersprang schier vor Wut und Hass. Das sind natürlich Selbstverständlichkeiten. Nur möchte ich hier auch betonen, dass auch im literarischen Kampfe, bei literarischen Auseinandersetzungen von einer gewissen Presse in einem Tone dahergeschrieben wird, den man nicht anders als Sauhordenton bezeichnen kann.

Aus dem maschinenschriftlichen Protokoll eines Interviews mit Ödön von Horváth (1932)

1932: Ödön von Horváth

Heinz Hilpert

Heinz Hilpert über Ödön von Horváth

Als mir Horváth im Sommer des Jahres 1931 sein Stück »Geschichten aus dem Wiener Wald« übergab und ich es gelesen hatte, war ich so fasziniert davon, daß ich sofort beschloß, es auch zu inszenieren. Horváth hatte der Medusa, die man das Leben nennt, fest ins Auge gesehen und ohne Zittern eigentlich das dargestellt, was geschieht, in dem, was zu geschehen scheint. Es war eine Wahrhaftigkeit und eine Unerbittlichkeit in der Darstellung der Beziehungslosigkeit der Menschen zueinander, daß man von einer großen Roheit sprach, von Zynismus und Ironie; was alles nicht der Fall war. Denn Horvath selbst ist ja doch ein heiterer Mensch – zwar sehr melancholisch und sehr belastet – gewesen, aber er war ein Mensch, der absolut nicht mit negativen, sondern nur mit Röntgenaugen das Leben gesehen hat – so wie es wirklich ist.

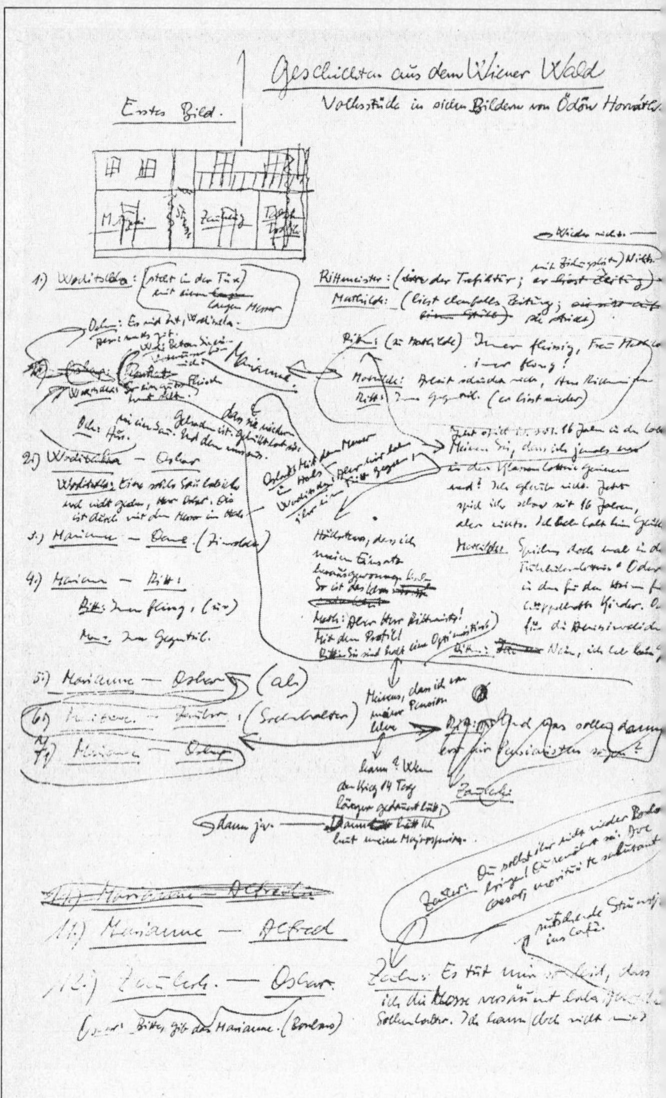
Geschichten aus dem Wiener Wald
Volksstück in sieben Bildern von Ödön Horváth
Erstes Bild.
11.) Marianne — Alfred
12.) Zauberkönig — Oskar

Manuskriptseite aus »Geschichten aus dem Wiener Wald«

DEUTSCHES THEATER

Anfang 7½ Uhr — Ende nach 10 Uhr

Montag, den 2. November 1931

Uraufführung

Geschichten aus dem Wiener Wald

Ein Volksstück in 3 Teilen (15 Bildern)

von

Oedön Horváth

Regie: **Heinz Hilpert**

Bühnenbilder: Ernst Schütte

PERSONEN

Die Mutter	Lina Woiwode
Alfred	Peter Lorre
Die Großmutter	Frida Richard
Der Hierlinger Ferdinand	Willy Trenk-Trebitsch
Valerie	Lucie Höflich
Oskar	Heinrich Heilinger
Ida	Felicitas Kobylanska
Havlitschek	Josef Danegger
Rittmeister	Paul Hörbiger
Marianne	Carola Neher
Eine gnädige Frau	Elisabeth Neumann
Zauberkönig	Hans Moser

PERSONEN

Erste Tante	Hedwig von Lorré
Zweite Tante	Jula Benedek
Erich	Paul Dahlke
Emma	Sylva Havran
Helene	Grete Jacobsen
Dienstbote	Maria Secher
Baronin	Cäcilie Lvovsky
Beichtvater	Hermann Wlach
Kavalier	Max Lammer
Mädchen	Saluta Kobylanska
Der Mister	Karl Huszar-Puffy
Der Conferencier	Hans Ströhm

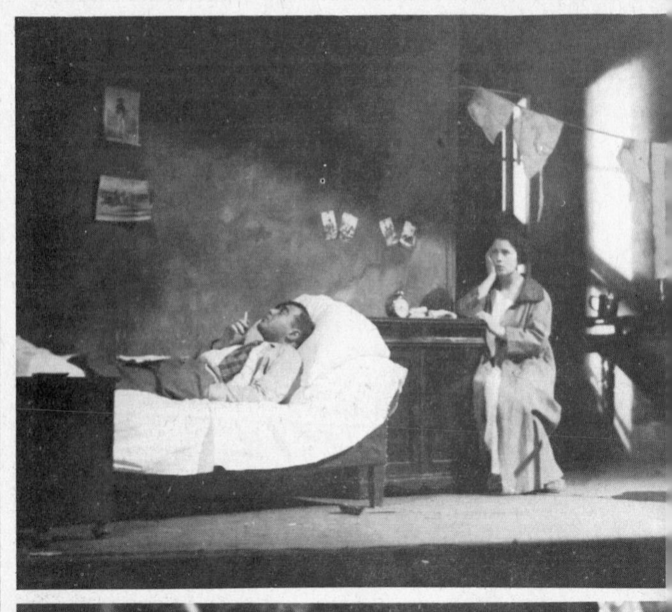

Nichts gibt so sehr das
Gefühl der Unendlichkeit
als wie die Dummheit

2. 11. 1931: Szenenfotos der Uraufführung von »Geschichten aus dem Wiener Wald« im Deutschen Theater Berlin mit Peter Lorre (Alfred) Lucie Höflich (Valerie) Frieda Richard (Großmutter) Carola Neher (Marianne) Heinrich Heilinger (Oskar) und Hans Moser (Zauberkönig).

ARCADIA-VERLAG

10. FLUGBLATT ☆ FEBRUAR 1932

GESCHICHTEN AUS DEM WIENER WALD

Volksstück von Ödön Horváth

im Urteil hervorragender Berliner Kritiker

anläßlich der Uraufführung am Deutschen Theater, Berlin.

Erich Kästner:

. . . Das Deutsche Theater hat mit „Geschichten aus dem Wiener Wald" einen großen Erfolg zu buchen. Es ist einmal der Erfolg einer hinreißenden Aufführung, zum andern ein Erfolg Horváths, des diesjährigen Kleistpreisträgers.

Horváth schrieb hier ein Wiener Volksstück gegen das Wiener Volksstück. Er übernahm die aus Filmen, Operetten und Dramen bekannten pensionierten Rittmeister, die süßen Mädel, die nichtsnutzigen Hallodri, die familiensüchtigen Kleinbürger; er übernahm den Plüsch, aber er klopfte ihn aus, daß die Motten aufflogen und die zerfressenen Stellen sichtbar wurden. Er zeigte die Vorder- und die Kehrseite der überkommenen Wiener Welt. Er ließ diese Leute ihre Lieder singen, ihren plauschenden Dialekt sprechen, ihre Heurigenlokale trunken durchwandern und zeigte darüber hinaus die Faulheit, die Bosheit, die verlogene Frömmigkeit, die Giftigkeit und die Borniertheit, die hinter und in jenen marktgängigen Eigenschaften stecken. Er zerstörte nicht nur das überkommene Wiener Figuren-Panoptikum, er gestaltete ein neues, echteres, außerdem. **Neue Leipziger Zeitung.**

Alfred Kerr:

. . . Eine stärkste Kraft unter den Jungen, Horváth, umspannt hier größere Teile des Lebens als zuvor.

In den Stücken von einer Bergbahn, dann von einer schwarzen Reichswehr gab er Wirtschaftliches und Kämpferisches. In der himmlischen „Italienischen Nacht" den besten Zeitpaß dieser Läufte. Jetzt malt er . . . ein ganzes Volk.

So umspannt er weit mehr als zuvor.

Horváth ist ein ehrlicher Kopf mit einem Blick von heut. Einer der zu uns gehört. Ihn ergötzt jeder Unterschied zwischen dem freundlich übertünchten Außen und dem verdammt hintergründigen Inneren.

Und da er kein Spielverderber ist: so malt er auch die lockend lieben Seiten und die höchst gewinnende Dummheit dieser angenehm Zurückgebliebenen, mit ihren schwätzigen, nichtigen molleten Alltagssorgen. Und (neben der Schlamperei) die Grausamkeit alles menschlichen Geschicks, die noch auf so triebhaftiges Behagen einer wabbligen Sippe niederfährt.

Kurz: eine junge Kraft mit starken Aussichten schrieb das alles. Stärker zwar im einzelnen als im Umriß. Doch ein Könner.

Unter den Jungen ein Wer; ein Geblüt; ein Bestand. Ansonst ist hier kein Zurückschrauben in die Fibeldummheit; sondern ein Saft. Und ein Reichtum.

Berliner Tageblatt.

Bernhard Diebold:

. . . Der Dichter Horváth aber zeigt sich hier auf der Höhe seiner Menschenkennerschaft und Wahrheitsliebe: Marianne wird sich nicht umbringen oder in heroischem Stolz auf Oskars Lebensversorgung verzichten. Sie, die Gott in der Kirche so innig und so vergeblich um einen Ausweg anrief; sie, die umsonst an Mann und Kind und wienerischen Familiensegen zu glauben wagte; ja Marianne resigniert, wird bürgerlich erweicht, tritt ein in ihres treuen Oskars Heim . . . Bring' Glück herein.

Diese banale Geschichte ist der Alltag. Aber der witzige Horváth souffliert dem Alltag die Sprache ohne Walzer-Rhythmus. Man lacht vor so viel trauriger Zoologie. Die Marianne, der Zauberkönig, die Trafikantin und die dämonische Großmutter werden aus ihren Reden zur Figur. Ein neuer Wiener Volks-Mythus ist damit angebahnt. Das Dichterische kommt aus der Konstellation der Bilder. Die Szene mit der blinden Pianistin, das trockene Liebesgespräch an der schönen blauen Donau, des Teufels Großmutter, die mit dem Stock die Kinderwiege stupst, — ha, das ist geschaut und gebildert . . . Es ist ein großer Abend der deutschen Schauspielkunst. Es ist ein hoffnungsvoller Abend der deutschen Dichtkunst.

Frankfurter Zeitung.

Rudolph Lothar:

. . . Oedön Horváth ist ein Zeichner im Genre von Georg Groß, mit dem er die größte künstlerische Verwandtschaft hat. Ein brillanter Karikaturist, ein schonungsloser, bitter und bissig lachender Spötter.

Das Stück hat Erfolgchancen in sich, weil es eine Fülle von Karikaturen, die scharf und lebendig vor uns stehen, auf die Bühne bringt. Da ist zum Beispiel ein Rittmeister, den Paul Hörbiger prachtvoll spielt. Eine jener typischen, altösterreichischen Figuren, die im heutigen Dasein wie anachronistische Kuriositäten wirken. Da sind der Schlächtermeister und sein Geselle, die direkt aus der Wiener Vorstadtgasse auf die Bühne des Deutschen Theaters gestiegen sind. Da ist vor allem der Zauberkönig, den Hans Moser spielt, mit der gewollten komischen Diskrepanz zwischen der äußeren Erscheinung des gemütlichen Wiener Geschäftsmanns und dem tyrannischen, hartherzigen Vater, der in diesem gemütlichen Urwiener steckt. Und alle die anderen Wiener Figuren, von denen das Stück wimmelt, illustrieren in reichster Fülle den satirischen bunten Bilderbogen, der das Stück eigentlich ist. Großer Erfolg.

Neues Wiener Journal.

Oscar Bie:

. . . Oedön Horváth, der Kleistpreisträger, ist nun in das Deutsche Theater eingezogen. Seine „Geschichten aus dem Wiener Wald" bestanden ihre Uraufführung sehr gut und erweckten, je weiter der Abend vorrückte, einen desto stärkeren Beifall . . .

. . . Immer, wenn ein Ausschnitt aus dem Volksleben mit gut gewürzten Gesprächen auf der Bühne sich abspielte, zeigte sich der Dichter von seiner besten Seite. Er hat schön beobachtet und den Dialog sehr bodenständig durchgeführt. Von all den Lokalitäten, auf die sich die Szenen verteilen: der Landaufenthalt in der Wachau, die Wiener Straße mit den Läden des Fleischers, des Puppenhändlers, der Trafik, die Bohêmestube der wilden Ehe, die Landpartie mit den Fotografien, die Kirche mit dem Beichtvater — der Heurigengarten mit der tollen Sing- und Tanzlustigkeit Wiens mit dem ganzen Jubel aller dieser aufeinander gepferchten Schicksale und Menschen, die sich in Berauschtheit verlieren: ein Höhepunkt des Bühnenlebens, der Verschmelzung von Person und Milieu, wie man ihn selten in diesem Hause erlebt hat. Hier brach der Erfolg des Stückes durch und wird sich nun Abend für Abend auf lange Zeit wiederholen.

Dresdner Neueste Nachrichten.

Paul Goldmann:

. . . Namentlich die Heldin Marianne ist eine lebendige Gestalt. Der Vater, der Rittmeister und einige Episodenfiguren sind ebenfalls gut gezeichnet. Auch dramatische Begabung ist nicht zu verkennen. Es pulsiert Theaterblut in dem Stück, und manche Szene hat dramatischen Wurf. Oedön Horváth ist, namentlich wenn man sein Werk mit anderen Produkten heutiger deutscher Bühnenschriftstellerei vergleicht, zweifellos ein Talent.

Neue Freie Presse.

Julius Bab:

. . . Die Handlung hat den simplen Umriß alter Volksstücke, sie geht, bei lauter Episoden liebevoll verweilend, sehr langsam vorwärts, sie ist auch gewiß zuweilen krasser und gröber als für den künstlerischen Zweck nötig wäre — aber sie steckt voller Talent! . . . noch nie ist dem Autor eine ernsthafte Szene von so großem Stil gelungen, wie diese Gretchenvariation: das arme Wiener Mädel im Beichtstuhl, das vieles bereuen will, aber durchaus nicht sein Kind, das Kind, das doch sein Glück ist! Und das dann dasteht und mit rührend verzweifeltem Ernst in den Himmel fragt: „Lieber Gott, ich bin im achten Bezirk geboren und habe die Bürgerschule besucht, ich bin kein schlechter Mensch, hörst du mich, was hast du mit mir vor, lieber Gott? — — Es ist außer jeder Frage, daß der ein Dichter ist, der solche Szene schreiben konnte. — Hier ist viel mehr als Satire, als brutale Negation, hier ist ein sehr echtes, sehr fruchtbares Gefühl für die leidende Kreatur laut geworden. Ein kämpferischer und schöpferischer Ernst. Zuckmayer hat seinen Kleistpreis durchaus nicht an den Unrechten gegeben. — Es war ein ganz großer Theaterabend. Und wenn trotzdem einige Leute zischend ihren Ingrimm über die entschleiernde Schärfe Horváths bekunden mußten, so werden das wohl Söhne und Enkel der Leute sein, die auch beim „Vierten Gebot", auch bei Hauptmanns „Sonnenaufgang" und ein wenig früher bei den „Räubern" gezischt haben. Die anderen klatschten lebhaft und taten recht daran.

Berliner Volkszeitung.

Alfred Polgar:

. . . Ein Volksstück und die Parodie dazu. Aber es kann bei der Herstellung auch umgekehrt zugegangen sein, nämlich so, daß zuerst ein Ulk war, und daß der Dichter Oedön Horváth ihn erst später, im Zug der Arbeit verernstete. — Wie dem auch gewesen sei: es entstand eine bedeutsam umdunkelte Groteske, deren Schatten über das Oesterreichische hinaus in das sogenannte allgemein Menschliche fallen.

Das ganze bizarre Spiel ist von einer eiskalten Witzigkeit, in der auch das bißchen warmer Atem, das gelegentlich eine oder die andere Figur von sich gibt, sofort als frostiger Dampf niederschlägt. Die dramatische Begabung Oedön Horváths erweisen seine „Geschichten aus dem Wiener Wald" zwingend. Er sieht scharf und gestaltet mit knappster Oekonomie der Mittel. Seine Figuren lösen sich deutlich ab von ihrem menschlichen, sozialen Hintergrund, ohne daß dieser jemals aus dem Spiel verschwände.

Die Weltbühne.

Kurt Pinthus:

. . . Ein außerordentliches und außerordentlich aufnahmebereites Publikum mußte an einem langen Abend erkennen, daß das von Zuckmayer mit dem Kleistpreis ausgezeichnete Stück Horváths zwar kein ausgezeichnetes, aber ein hochbegabtes, das bitterste, dasböseste, das bitterböseste Stück neuerer Literatur ist.

8-Uhr-Abendblatt.

Franz Servaes:

. . . Horváth ist ein ausgezeichneter Menschenbeobachter von starkem Theatersinn. Ganz lebensecht und zweifellos die beste Gestalt in Horváths Stück: eine fesche Wiener Tabaktrafikantin in bereits reiferen Jahren, die ihre Verehrer wie die Handschuhe wechselt.

Leipziger Neueste Nachrichten.

Hans Siemsen:

. . . Oedön Horváth, der junge Autor, hat eben den Kleistpreis bekommen. Wie er mit diesem Stück beweist: zu Recht! . . .

Dieser Theaterabend ist einer der bisher wichtigsten. Dies bitter-böse Volks-Stück trifft den Teil des Theaterpublikums, der satt und amüsementsbereit, nur leichte Emotionen wünscht, gedankenfaul an „liebgewordenen" Klischees hängt, — mitten auf den Kopf, ins Herz und in den Bauch.

Welt am Montag.

Nächste Aufführung:
Wien-Theater in der Josefstadt

Der Dramatiker Franz Theodor Csokor

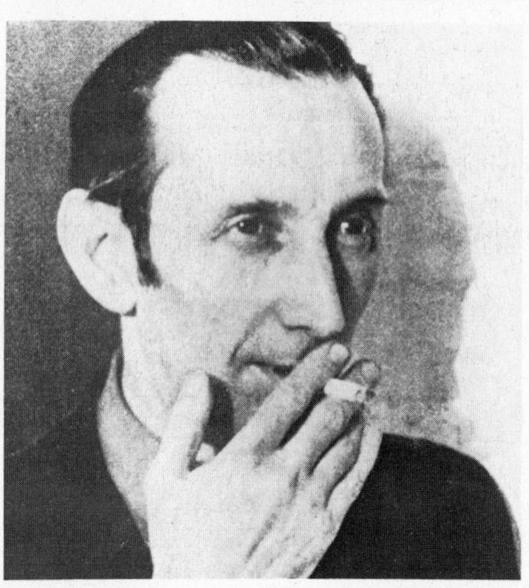

Freunde Ödön von Horváths   Der Schriftsteller Walter Mehring

Die Schauspielerin Wera Liessem

Die Schauspielerin Hertha Pauli

Dokumente zur innenpolitischen Situation in den Jahren 1930—1932

Massenentlassungen
Die Belegschaft Ewald in Herten hat am Mittwoch bei der zuständigen Stelle im Oberbergamt Dortmund um die Entlassung von über 900 Arbeitern nachgesucht.
Die Klöckner-Werke in Castrop-Rauxel haben bei der zuständigen Behörde die Kündigung von annähernd 400 Arbeitern angezeigt. Auf Zeche Werne wird 150 Mann, auf den Viktoria- und Ickern-Schächten ebenfalls 150 Mann und auf der Schachtanlage Königsborn rund 90 Mann gekündigt.
In Rheinland und Westfalen schweben 450 Stillegungsanträge aus der Industrie; von den immer größeren Entlassungen in der Mittel- und Kleinindustrie erfährt niemand etwas.
Tremonia vom 21. 8. 1930.

Angestellte schlimmer dran als Arbeiter?
Der Durchschnittsarbeiter, auf den so mancher kleine Angestellte gern herabsieht, ist diesem oft nicht nur materiell, sondern auch existenziell überlegen. Sein Leben als klassenbewußter Proletarier wird von vulgär-marxistischen Begriffen überdacht, die ihm immerhin sagen, was mit ihm gemeint ist. Das Dach ist allerdings heute reichlich durchlöchert.
Die Masse der Angestellten unterscheidet sich vom Arbeiterproletariat darin, daß sie geistig obdachlos ist. Zu den Genossen kann sie vorläufig nicht hinfinden, und das Haus der bürgerlichen Begriffe und Gefühle, das sie bewohnt hat, ist eingestürzt, weil ihm durch die wirtschaftliche Entwicklung die Fundamente entzogen worden sind. Sie lebt gegenwärtig ohne eine Lehre, zu der sie aufblicken, ohne ein Ziel, das sie erfragen könnte. Also lebt sie in Furcht davor, aufzublicken und sich bis zum Ende durchzufragen.
S. Kracauer in „Die Angestellten", 1930

Die Arbeitslosenziffer steigt weiter
Deutschland hat die Zahl von 4 Millionen Arbeitslosen erreicht. In dem Maße, wie die Arbeitslosigkeit unter den Männern zunimmt, steigt die Zahl der beschäftigten Frauen. Schon sind heute 75 Prozent aller Frauen berufstätig. 6 Millionen beruflich tätiger Frauen stehen 4 Millionen arbeitslose Männer gegenüber. Wir haben zum Beispiel mehr als 20 000 Junglehrer ohne Stellung, aber die Zahl der Lehrerinnen, und noch dazu der verheirateten, wird immer größer. Ganz ähnlich liegen die

Verhältnisse in allen anderen Berufe[n]. Der Staat geht hier mit „gutem" Beispiel voran. Die Privatindustrie folgt gerne. Erschütternd die Tatsachen, wenn Männer im besten Lebensalter, die Frau und Kinder ernähren, auf die Straße fliegen; skandalös die Zustänc[de], wenn bei der Bewerbung überall jung[e] Mädchen vor den Männern den Vorrang haben. Kein Minister, keine Par[tei] sieht diese Ursachen der Arbeitslosig[keit] und kann hier Abhilfe schaffen.
Vossische Zeitung vom 18. 1. 1931.

Dokumente zur innenpolitischen Situation in den Jahren 1930–1932

lbstmorde
ch den bisherigen Feststellungen
hieden in Berlin im Laufe der ersten
ei Monate 474 Personen freiwillig
s dem Leben gegenüber 421 im ersten
erteljahr 1930. Nicht weniger als
3 standen davon in der Vollkraft
er Jahre. Nur hundert Leute mußten
Alter von 60 bis 70 Jahren aus dem
ben scheiden, weil sie keine Existenz-
öglichkeit mehr hatten.
ssische Zeitung vom 26. 6. 1931

ie neue Schicht von Bettlern
r jetzt durch die Wohnstraßen des
rliner Westens schlendert, erlebt
auf Schritt und Tritt, daß ein Mensch auf ihn zukommt und um Geld bittet. Manche kommen lächelnd auf einen zu, so als wollten sie einen guten Bekannten begrüßen; andere betteln stumpf und ausdruckslos. Am schlimmsten sind die, die gar nichts reden. Solange es hell ist, sitzen sie verloren auf den Bänken der breiten Straße; später streichen sie an den Zäunen der Restaurants entlang.
Vossische Zeitung vom 16. 9. 1931

Sturm auf die Kohlenhalden
Heute morgen gegen 10 Uhr erschienen vor dem überfüllten Brikettlager der Grube „Alwine" Hunderte von erwerbslosen Männern und Frauen mit Handwagen, Fahrrädern und Säcken und forderten von dem erschrockenen Betriebsleiter kostenlose Herausgabe von Kohlen. Sie erklärten dabei, in ihren Wohnungen zu frieren, weil sie sich keine Kohlen kaufen könnten, während hier auf dem Grubenhof die guten Briketts verwitterten und zu Grus zerfallen.
Der Kämpfer vom 17./18. 12. 1932

Kinder demonstrieren
In der Innenstadt Dortmunds führten Arbeiterkinder eine Demonstration durch. Die Kinder brachten ihre Forderungen in Sprechchören zum Ausdruck. Die Stadt klang wider von den Rufen: „Wir haben Hunger!" — „Wir wollen für unsere Väter Arbeit und damit für uns Brot!"
Der Kämpfer vom 17./18. 12. 1932

Die neue Generation
Vor über einer Million Jugendlicher unter uns in Deutschland hat das Leben die Tür zugeschlagen.
Sie verkommen tagtäglich mehr vor unseren Augen in Gereiztheit oder in Stumpfsinn, tagaus, tagein, in maßloser, sinnloser Zeit. Doppelt verzweifelt, weil fast überall der Vater auch erwerbslos ist. — Sie verlangen für ihre leeren Hände nach Arbeit, die Sinn hat. Oder sie gehen bald endgültig vor die Hunde in Abwehr und Stumpfheit; hoffnunglos, verbittert, schlaff oder störrisch: also menschenunwürdig. — Erschreckend: eine Million!
Peter Martin Lampel,
in „Packt an, Kameraden!", 1932

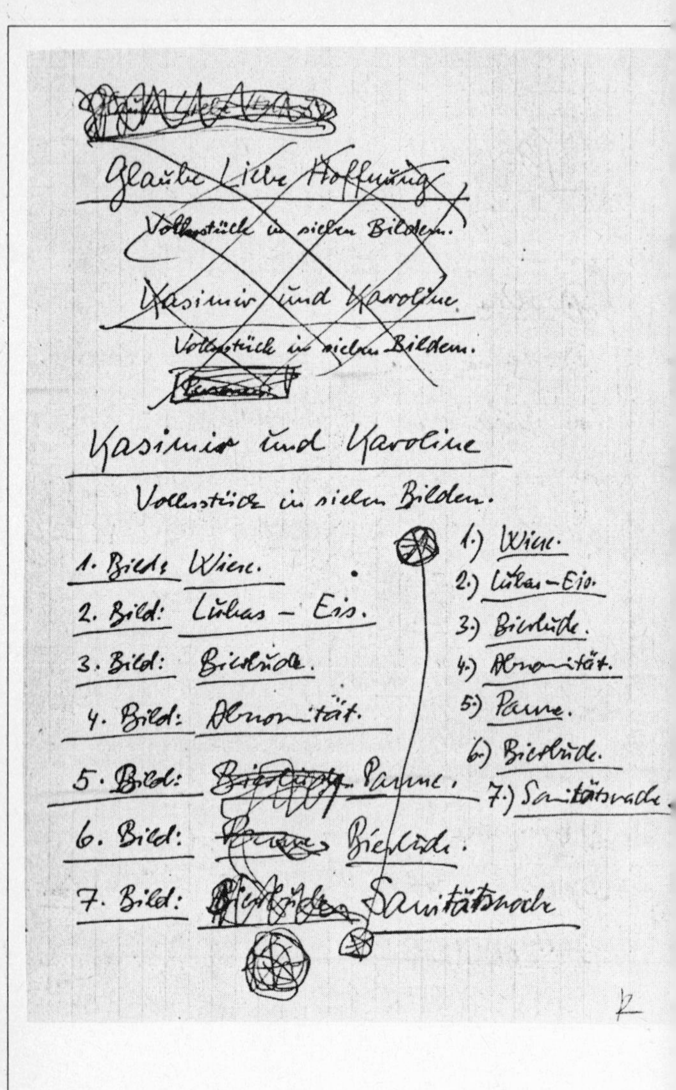

~~Glaube Liebe Hoffnung~~

~~Volksstück in sieben Bildern.~~

~~Kasimir und Karoline~~

~~Volksstück in sieben Bildern.~~

Kasimir und Karoline

Volksstück in sieben Bildern.

1. Bild: Wien.
2. Bild: Lukas – Eis.
3. Bild: Bierbude.
4. Bild: Abnormität.
5. Bild: ~~Bierbude~~ Panne.
6. Bild: ~~Panne~~ Bierbude.
7. Bild: ~~Bierbude~~ Sanitätswache

1.) Wien.
2.) Lukas-Eis.
3.) Bierbude.
4.) Abnormität.
5.) Panne.
6.) Bierbude.
7.) Sanitätswache.

Entwürfe Ödön von Horváths

In der Maschinerie der Paragraphen.

In die Maschinen geraten — Von der Maschine erfasst.

In der Maschine der Paragr.

Ueber die Entstehung meines Volksstückes "Glaube Liebe Hoffnung"

Im Fasching 1932 traf ich einen Bekannten, einen Gerichtssaalberichterstatter namens Lukas Kristl. Dieser sagte zu mir damals ungefähr folgendes: er verstünde die Dramatiker nicht, warum dass diese Dramatiker, wenn sie den Tatbestand und die Folgen eines wirklichen oder vermeintlichen (Justizirrtum) Verbrechens dramatisch bearbeiten, immer nur sogenannte Kapitalverbrechen bevorzugen, die doch relativ selten begangen oder in Hinblick auf den Justizirrtum nicht begangen werden, und warum also die Dramatiker sich niemals um die vermeintlichen oder wirklichen Tatbestände und Folgen der kleinen Verbrechen kümmern, die doch landauf landab tausendemal begangen und abgeurteilt werden — für die vielmehr unschuldig verurteilt werden. Und deren Folgen sehr häufig denen des lebenslänglichen Zuchthauses ähneln, den bekanntlich: einmal in Konflikt gekommen, dauernd in Konflikt — ja er als Gerichtssaalberichterstatter sieht das ja tag für Tag, wie diese kleinen unscheinbaren Paragraphe und Polzeivorschriften die Menschen nichtmehr auslassen, umklammern und schliesslich erwürgen. Dabei dreht es sich ursprünglich, primär um Vergehen, von denen die meisten Menschen garnicht wissen, dass es Vergehen sind, aber Unwissenheit schützt nicht vor Strafe, usw.

Ich erwiederte ihm darauf ungefähr folgendes: die Leut im Theater sehen sich aber lieber an, wie einer umgebracht wird, als wie das, wie einer zum Beispiel wegen ein Vergehen bestraft wird, vielleicht gar noch bedingt. Dazu ziehen sich die Leut nicht an, um ins Theater zu gehen! Wenn schon Justiz, dann muss es schon ein richtiger korrekter Mord sein, oder Justizmord — das ist die Hauptsach, auch in den Tendenzstücken

Justizstücken, die sich mit den Folgen beschäftigen. (Tendenzstücken)

Es interessiert nur (z. B.) der hingerichtete politische Führer, niemals aber die 1000 Jahre Zuchthaus für sein Gefolge.

Ohne Gewähr

Freitag, 18. Nov. 32: **Schauspielhaus** Fernruf 30957 u.32111

Uraufführung in der Berliner Besetzung!

Kasimir und Karoline.

Ein Abend auf dem Oktoberfest
von Oedön Horvath.
Regie: Francesco von Mendelssohn.
Szenische Einrichtung nach Entwürfen
von Caspar Neher.
Musikalische Einrichtung: Julius Bürger.

Motto: Es leuchtet meine Liebe
In ihrer dunklen Pracht:
Wie ein Märchen, traurig und trübe,
Erzählt in der Sommernacht.

Kasimir . . . . Herm. Erhardt
Karoline . . . . Luise Ullrich
Schürzinger . . . . Karl Stepanek
Der Merkl Franz . . . . . Fritz Kampers
Dem Merkl Franz seine Erna Blandine Ebinger
Speer, hochgestellte Persönlichkeit . . . . Werner Pledath
Kommerzienrat Konr. Rauch Hans Adolphi
Elli . . . . Herta Worell
Maria . . . . Mally Georgi
Ein Herr . . . . Walter Schramm
Sanitäter . . . . Ernst Reßler
Eine Dame . . . . Lotte Heinitz
Ausrufer . . . . F. Weilhammer
Regierungsrat . . . . . . Werner Scharf
Liliputaner . . . . Kurt Fabrici
Renate, die Riesendame . . [illegible]a Barré
Juanita, das Gorillamädch. Eva Ortmann
Zwillinge . . . . . . Ruth und Ethel Stöckel
Alexander, der Albino . . Walter Schramm
Krankenschwester . . . . . Irma Berlos

Pause nach dem 4. Bild.

Gastspielpreise. Dutzend- und Jahreskarten haben mit Zuzahlung Gültigkeit.

Kassenöffn. 19¼ Anfang 20 Ende 22½ Uhr

Leipziger Neueste Nachrichten vom 18. 11. 1932.

KOMÖDIENHAUS

Direktion: Victor Barnowsky

Nachdruck, auch auszugsweise, wird gerichtlich verfolgt.

Gastspiel der Ernst Josef Aufricht-Produktion

Kasimir und Karoline

Ein Abend auf dem Oktoberfest
von Ödön Horváth
Regie: Francesco von Mendelssohn
Szenische Einrichtung nach Entwürfen von Caspar Neher

Ankündigung der Berliner Premiere am 25. 11. 1932

Hermann Erhardt und Luise Ullrich

Karoline: Eigentlich hab ich ja nur ein Eis essen wollen – aber dann ist der Zeppelin vorbeigeflogen und ich bin mit der Achterbahn gefahren. Und dann hast du gesagt, daß ich dich automatisch verlasse, weil du arbeitslos bist. Automatisch, hast du gesagt.

Kasimir: Jawohl Fräulein.

Karoline: Ich habe es mir halt eingebildet, daß ich mir einen rosigen Blick in die Zukunft erringen könnte – und einige Momente habe ich mit allerhand Gedanken gespielt. Aber ich müßt so tief unter mich hinunter, damit ich höher hinauf kann.

Gebrauchsanweisung

Ich hatte mich bis dato immer heftig dagegen gesträubt, mich in irgendeiner Weise, ~~(in der Form eines Vorwortes zu allerletzt)xx~~ über meine dramatische Produktion zu äussern, nämlich ich ~~habe es mir erlaubt, so~~ naiv sein und bildete mir ein, dass man Ausnahmen bestättigen die Regel (leider in diesem Falle) meine dramatische Produktion auch ohne Gebrauchsanweisung verstehen wird. Heute gebe ich es unumwunden zu, dass dies ein ab ~~rheblicher~~ Irrtum meinerseits gewesen ist, ~~keine Gebrauchsanweisung zu geben.~~

Heute bin ich u. a. um folgende Erfahrungen reicher:

1. dass Ironie mit Satire, und Satire mit Parodie verwechselt wird. ~~Warum, das geht mich nichts an,~~ interessiert mich nicht.

2. dass die Synthese von Ironie und Realismus, die ich erstrebe, als Zynismus gewertet wird. Oder ~~gar als Hanswurstiade oder~~ ungewollte Komik (letztereses sind die ganz Dummen)

3. dass die Aufführungen den Stil meiner Stücke (bis auf wenige Szenen) nie richtig wiedergegeben haben -- (dies soll aber kein Vorwurf sein, ~~sondern nur eine Feststellung, Ich kann es von niemand verlangen~~, ein Stück von mir ~~richtig zu inszenieren, solange ich selbst nicht darüber im Klaren bin. Heute bin ich mir darüber im Klaren~~).

Bevor ich nun auf die Verbotsparagraphe ~~betr. Regie und Darstellung~~ betr. Wiedergabe meiner Stücke übergehe, will ich nur noch kurz folgendes bekanntgeben: nicht nur "Kasimir und Karoline", sondern alle meine bisherigen und soweit ich mich überblicken kann, alle meine nächsten Stücke haben ein Thema: ein einziges dramatisches Thema: Kampf des sozialen Bewstseins gegen das asoziale Triebleben und umgekehrt. Die sogenannte dramatische Handlung ist eine rein sekundäre Angelegenheit, ist nur der Rahmen.

Alle meine Stücke, ~~je~~ meiner Motive, sind Tragödien, resp. tragisch.

~~Lassen Sie den kontrollierenden Intellekt, der da sagt "Geh, es ist doch garnicht so tragisch" beiseite, so haben Sie Tragödien.~~

Nun aber zur Gebrauchsanweisung betr. Regie (und auch dies gilt für alle meine Stü

Es ist strengstens verboten:

1. ~~Meine Stücke~~ Das Stück auf Milljöh hin zu inszenieren. In diesem Stück ist keine Milljöhschilderung. Es verleitet den Regisseur, dann fällt aber alles unter den Tisch. Es ist ein Stück, das ich nicht geschrieben habe.

2. Realistisch zu spielen. Das Stück muss überspitzt gespielt werden, es kann gar nicht genug übertrieben in Maske und Kostüm auf realistischer Basis gespielt werden, weil die Leut so dumm sind, und wenn man etwas nicht faustdick aufträgt, dann verstehen sie es nicht. Ich würde nun verschiedene Klassen, Schattierungen geben in der Ueberspitzung: ~~(ein überspitzter~~ (ein stilisierter Realismus)

Erste Gruppe:

3. Das Stück darf nicht also anzengruberisch gespielt werden. Es basiert auf den Traditionen der Volkssänger -- die Szenen sind Auftrittszenen, bei denen der Hintergrund wechselt. Die Musik als Entree, wie bei einem Couplet. Die Regiebemerkungen müssen überhaupt peinlichst eingehalten werden, besonders, wenn es heisst: keine Musik. -- Natürlich genügen zu diesem Stück 10 Statisten, immer dieselben, gleich angezogen, am Anfang und am Ende. Statisten sind nur sichtbar, wenn sie auf der Bühne direkt in die Handlung eingreifen, sonst haben sie die Bühne zu verlassen -- es darf kein Wort der Dialoge unter den Tisch fallen.

4. Allerstrengstens verboten, Dialekt zu sprechen. Die Stücke sind keine Dialektstücke, sondern hochdeutsche – sie müssen hochdeutsch gesprochen werden, ~~[illegible]~~ durch diesen Gegensatz des Bildungsdrängens und des Nichtanderskönnens in primitiven Trieb (infolge unseres Erdendaseins) entsteht ja bereits die Ironie.

5. Parodistisch zu spielen. Keines meiner Stücke ist eine Parodie.

Entwurf zu einer »Gebrauchsanweisung«

[illegible]

Durch einen Zufall erfahre ich [illegible]

Ich habe [illegible] Talent,

Leider [illegible] bin ich nicht im Stande, über irgendeines

meiner Stücke, irgendetwas zu erzählen. Ich kann meine Stücke

nicht erzählen, es [illegible] ist [illegible] immer die kürzeste Form, wie

ich es ausdrücken kann.

Als ich vor einem halben Jahr von der erfolgreichen Aufführung

meines Stückes „Kas. und Karoline" in Wien erfuhr, habe ich mich

sehr gefreut, denn [illegible] ich habe es immer gehofft und

geahnt, dass [illegible] Stücke gerade in Wien Verständnis finden

müssten.

[illegible]

Als mein Stück 1932 in Berlin uraufgeführt wurde, schrieb

[illegible] die gesamte Presse, es wäre eine [illegible] Satire auf München

und auf das deutsche Oktoberfest — ich muss es nicht betonen,

[illegible]

dass dies eine völlige Verkennung war; es ist überhaupt keine

[illegible]

Satire, es ist die Ballade vom arbeitslosen Chauffeur Kasimir

und seiner Braut mit den Ambitionen, eine Ballade

voll stiller Trauer, gemildert durch Humor, das heisst

[illegible]

durch die [illegible]: „Sterben müssen wir alle!"

[illegible] Unabhängig von den zeitlich bedingten Kostümierungen

ist und war es in Berlin immer Sitte, zu fragen:

„gegen wen richtet sich das"?" Man hat nie gefragt:

[illegible]

„Für wen tritt es ein?" Das „gegen" war und ist immer

wichtiger, als das „für".

[illegible]

Ich habe die Wiener Aufführung noch nicht gesehen, und

ich freue mich sehr, [illegible] dass Ihr Theater sie nicht in

Spielplan [illegible] hat, [illegible] kann ich sie sehen. [illegible]

[illegible]

Handschriftlicher Entwurf eines Briefes an das Kleine Theater in der Praterstraße in Wien (1935)

Kasimir und Karoline ist]
Durch einen Zufall erfuhr ich von]
ich habe keinerlei Talent.]
Leider [fehlt mir] bin ich nicht im Stande, über irgendeines mei-
er Stücke, irgendetwas zu erzählen. Ich kann meine Stücke nicht
zählen, es [sind] ist immer die kürzeste Form, wie ich es aus-
rücken kann.]
ls ich vor einem halben Jahr von der erfolgreichen Aufnahme
eines Stückes »Kasimir und Karoline« in Wien erfuhr, habe ich
ich sehr gefreut, denn ich habe es immer gehofft und geahnt,
aß meine Stücke gerade in Wien Verständnis finden müßten.
enn genau wie der Verfasser, sind auch seine sogenannten Kin-
er »Kasimir und Karoline« Erzeugnisse – d. h. sie streben nach
Wahrheit, trotz der Illusion, daß es eine solche nicht gibt oder
icht geben darf.
ls mein Stück 1932 in Berlin uraufgeführt wurde, schrieb fast
e gesamte Presse, es wäre eine Satyre auf München und auf
as dortige Oktoberfest – ich muß es nicht betonen, daß dies
ne völlige Verkennung meiner Absichten war, eine Verwechs-
ung von Schauplatz und Inhalt; es ist überhaupt keine Satyre
, ist die Ballade vom arbeitslosen Chauffeur Kasimir und seiner
raut mit der Ambition, eine Ballade voll stiller Trauer, gemil-
ert durch Humor, das heißt durch die alltägliche Erkenntnis:
Sterben müssen wir alle!«
nabhängig von den zeitlich bedingten Kostümierungen ist und
ar es in Berlin immer Sitte zu fragen: »*Gegen* wen richtet sich
as?« Man hat nie gefragt: »*Für* wen tritt es ein?« Das »*gegen*«
ar und ist dort immer wichtiger als das »*für*«.
h habe die Wiener Aufführung noch nicht gesehen und ich freue
ich sehr, daß Herr Lönner sie wieder im Spielplan aufgenom-
en hat, [dann kann ich sie sehen. Da ich die Künstler, die es
pielen, kenne, freut es mich, sie in diesen Rollen sehen zu
önnen.] und zwar aus dem egoistischen Wunsch, sie sehen zu
önnen.
Und es freut mich umsomehr, da ich die Darsteller, die es spielen
erden, in anderen Stücken und Rollen als namhafte Künstler
ennen und schätzen gelernt habe, in meinem Stück sehen werde.

Sondernummer: Jenseits der Bürgerlichkeit

DIE LITERARISCHE WELT

THEATER VON HEUTE

AKTUELLE SKETSCHE VON HEUTIGEN DRAMATIKERN

Das heutige deutsche Theater hat für heutige junge deutsche Dramatiker wenig Platz — also wird die „L. W." von nun an für sie sehr viel Platz frei haben.

Wir beginnen mit einer Reihe von ernsten und lustigen Sketchs, Szenenfolgen und Dialogen, in denen heutige Dramatiker, einer Einladung der „L. W." folgend, die inneren Zustände auf den heutigen Theatern skizzieren. Für heute eine Arbeit von *Oedön Horváth* und *Ernst Toller*; es folgen *Ferdinand Bruckner, Paul Kornfeld, Gerhard Menzel.*

Ohne Titel

EIN ZEITSTUECK IN DREI AKTEN

Von

Ödön Horváth

ERSTER AKT

Im Theaterbüro beim Herrn Direktor.

DRAMATIKER *(klopft an, tritt ein)*: Guten Morgen, Herr Direktor!

DIREKTOR: Guten Morgen! Was gibt es Neues? Ist der Reichskanzler noch Reichskanzler?

DRAMATIKER: Das ist mir wurscht. Ich bin ein Dramatiker. Ich hab' gestern ein neues Stück geschrieben.

DIREKTOR: Bravo! Titel?

DRAMATIKER: Der Titel steht noch nicht fest, der Schluß ist mir noch nicht eingefallen, der Anfang ist mir nicht geglückt und die Mitte arbeit' ich noch um.

DIREKTOR: Mit einem Wort: wir haben kein Stück!

DRAMATIKER *(braust auf)*: Wie können Sie es wagen, so etwas zu behaupten?! Da dichtet man ein Trauerspiel —

DIREKTOR *(unterbricht ihn)*: Das auch noch! Hoffentlich werden die Leut' weinen und ich lachen — und nicht verkehrt!

DRAMATIKER: Nur keine Angst! Ich erwähne den Artikel achtundvierzig, dann weinen die Leut' sicher.

DIREKTOR *(windet sich)*: Artikel achtundvierzig? Muß das sein?

DRAMATIKER: Vielleicht geht auch Artikel siebenundvierzig — — Man müßte mal nachsehen, wie der lautet. Oder vielleicht auch Artikel neunundvierzig —

DIREKTOR: Herr! Sie sind doch ein Talent — zu was benötigen Sie überhaupt derartige Artikel? Wir haben doch in unserer herrlichen deutschen Sprache drei Artikel: erstens: der, zweitens: die und drittens: das. Aus diesen drei Artikeln müßte man eigentlich schon ein richtiges hochkünstlerisches Stück zimmern können — mit einigem guten Willen.

DRAMATIKER: Können? Aber natürlich!

DIREKTOR: Na, also! Geh' sein's fesch und schreiben's ein zeitloses Zeitstück.

(Dunkel.)

ZWEITER AKT

Bei der Probe des zeitlosen Zeitstückes mit dem Titel „Vor Neumondaufgang".

STATIST: Wo ist denn der Herr Direktor? Mir scheint, er führt doch die Regie!

HILFSREGISSEUR: Der Herr Direktor hat gerade fortmüssen, weil er mit der Pacht Schwierigkeiten hat — nämlich er muß soviel Pacht zahlen, daß er jeden Tag zweimal ein ausverkauftes Haus haben müßte, um nicht auf seine Kosten zu kommen. Da man aber bekanntlich nur einmal während eines Tages (außer Sonntag) spielen kann, geht er logischerweise zugrund —

STATIST: Und wir mit ihm.

STAR *(weiblich)*: Irrtum!

STAR *(männlich)*: Irrtum!

STAR *(weiblich)*: Ich hab' eine neue Limusine.

STAR *(männlich)*: Ich hab' eine neue Limusine.

STAR *(weiblich)*: Apropos Limusine: Sie, Herr dramatischer Dichter. Sie könnten mir doch irgendwie meine Limusine mit in das Stück hineinnehmen —

DRAMATIKER: Aber ausgeschlossen! Unmöglich! Nein! Nie! Ad absurdum! Mich auch! Kommt gar nicht in Frage! Unmöglich! Also mit einem Wort: ich schreib' Ihnen eine Szene für Ihre Limusine.

STAR *(männlich)*: Dann bestehe ich aber selbstredend darauf, daß auch meine Limusine mit in das Stück hinein —

DRAMATIKER *(unterbricht ihn)*: Was? Zwei Limusinen sind zuviel!

STAR *(männlich)*: Herr! Ich bin hundertvierzig Jahre bei der Bühne, inclusive der Bühnentätigkeiten meiner Mutter und Großmutter — Glauben Sie mir: die Leut' wollen zwei Limusinen sehen.

DIREKTOR *(kommt geistesabwesend)*: Der Wucherer will seine Pacht! San mer fesch, häng mer uns auf!

DRAMATIKER: Eine Frage nur, Herr Direktor: will denn das Publikum wirklich zwei Limusinen?

DIREKTOR *(geschmerzt)*: Sie Kind — *(für sich)*: Ich werd' meine Limusin verschenken. Meine einzige Rettung!

(Dunkel.)

DRITTER AKT

DER KRITIKER *(schreibt nach der Premiere des zeitlosen Zeitstückes „Vor Neumondaufgang" seine Vorkritik; und zwar schreibt er sie in Spiegelschrift und liest sie sich dann mit Hilfe eines Wandspiegels immer wieder vor)*: „Star weiblich: ein Wunder. Star männlich: auch ein Wunder. Stück nicht unbegabt, aber zwa Limusinen san zuviel." *(Er übergibt seine Vorkritik dem Setzer und ab.)*

DRAMATIKER *(liest hierauf die Vorkritik in der Zeitung)*: Der Mann hat Recht. Zwei Limusinen sind fürwahr zuviel — O warum bin ich bei den Proben nicht meinem Instinkt gefolgt?! — *(Er wird ganz melancholisch und betrinkt sich mit Bier, Wein, Schnaps — während die beiden Stars in ihren Limusinen an ihm vorbeifahren.)*

DIREKTOR *(kommt)*: Zum Wohlsein, Herr Dichter!

DRAMATIKER: Ich bin kein Dichter. Ich bin Politiker, Herr Direktor.

DIREKTOR: Ich bin kein Direktor. Die Pacht und die Limusinen haben mich umgebracht. Könntens mir nicht zwei Mark leihen?

DRAMATIKER: Wenn Sie mir die zwei Mark von meinen Tantiemen, die Sie mir schulden, abziehen

DIREKTOR: Gemacht. Auch zwanzig!

DRAMATIKER: Fein! Dann bleib ich noch auf, heut' kann ich eh' nicht einschlafen — diese gräßliche Hungersnot in China geht mir nicht aus dem Kopf! Kommen's, gehen wir in ein Theater, damit ich auf andere Gedanken komm'!

DIREKTOR: Theater? Zu teuer.

DRAMATIKER: Aber ich hab' doch Freikarten!

DIREKTOR: Ich auch. Aber Sie vergessen das Programmheft.

DRAMATIKER: Ich brauch' kein Programmheft.

DIREKTOR: Und die Garderobegebühr?

DRAMATIKER: Geh', die fünfzig Pfennig!

DIREKTOR: Es dreht sich nicht um die fünfzig Pfennig, lieber Herr, sondern es dreht sich darum, daß ich meinen Mantel nicht ausziehen kann, weil ich darunter nurmehr das Hemd anhabe. Mein letztes Hemd. Kommens', gehen wir lieber ins Kino!

(Vorhang.)

•

Der Autor Alwis Kronberg

Von

Ernst Toller

DRAMATURG: ... Zweifellos hat das Stück auch große Erfolgschancen. Es ist bühnensicher gebaut, vehement steigert sich die dramatische Hand-

Reichsanzeiger (Nr. 8)
vom 2. 2. 1933

Der Herr Reichspräsident
hat nach dem Rücktritt
der Reichsregierung
Herrn Adolf Hitler
zum Reichskanzler ernannt.

Richtlinien für eine lebendige deutsche Spielplangestaltung, aufgestellt vom dramaturgischen Büro des Kampfbundes für Deutsche Kultur September 1933

Der Spielplan eines deutschen Theaters muß einem deutschen Publikum wesens- und artgemäß sein; d. h. die dargebotenen Werke müssen in ihrer geistigen Haltung, in ihren Menschen und deren Schicksalen deutschem Empfinden, deutschen Anschauungen, deutschem Wollen und Sehnen, deutschem Lebensernst und deutschem Humor entsprechen.

Da das Werk des Dichters nicht von seiner Persönlichkeit und seiner blutgebundenen Wesensart zu trennen ist, dürfen auf einer deutschen Bühne in erster Linie nur deutschblütige Dichter zu Worte kommen, die ihre deutsche Art nicht verleugnen. Das deutsche Theater darf nicht mehr wie bisher der Tummelplatz artfremden oder in nationaler Beziehung charakterlosen Geistes sein. ...

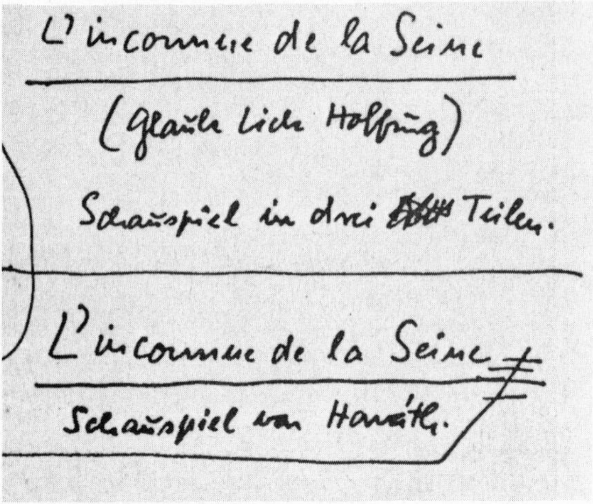

Manuskriptblatt Ödön von Horváths

Franz Theodor Csokor an Ödön von Horváth am 12. 8. 1933

... Deine »Unbekannte aus der Seine« bringt also das »Theater der Neunundvierzig« im Keller des Hôtel de France als nächste Premiere? Das Stück gehört natürlich auf eine richtige Bühne, und es ist eine Affenschande, daß in einem Land, wo man vorderhand noch das Maul aufmachen kann, und nicht nur zum Fressen, sondern auch, um etwas zu sagen wie Du – damit in eine Katakombe gegangen werden muß. Und das ist umso widerlicher, als sich unsere Art, Stücke zu schreiben, die Mahnungen zur Menschlichkeit sein sollen, ohnehin das Deutschland von heute verschließt.
Die Nachricht, daß Du dort als »entartet« nicht mehr gespielt wirst, ist mehr wert als jeder Literaturpreis – sie bestätigt Dir öffentlich, daß Du ein Dichter bist! ...

Oedön-Horvath-Premiere am Reinhardt-Seminar

Oedön Horvath hat soeben ein neues Stück vollendet, „Die Unbekannte in der Seine“, das von Direktor Dr. Preminger zur Uraufführung angenommen wurde. Interessanterweise wird aber die Uraufführung nicht im Theater in der Josefstadt, sondern im Schönbrunner Schloßtheater, dargestellt von Schülern des Reinhardt-Seminars, unter Regie Dr. Premingers selbst, erfolgen.

„Mein neues Stück“, erzählt Oedön Horvath, „ist ein ausgesprochenes literarisches Experiment. Seine Aufführung muß für jeden Theaterdirektor zunächst als ein Wagnis erscheinen.

Ich bin selbst der Ansicht, daß es höchst fraglich ist, ob das Stück im Abendrepertoire eines großen Theaters en suite gespielt werden könnte. Bei der herrschenden Situation im Theaterleben bedeuten Stücke, die in irgend einer Weise ein gewagtes Experiment darstellen, ein ganz außerordentliches Risiko. Ich finde es daher sehr schön, daß das Stück am Reinhardt-Seminar von jungen Leuten aufgeführt wird. Die Premiere soll noch im Jänner erfolgen, die Bühnenbilder entwirft Oskar Strnad. Von der Wirkung, die das Stück im Schönbrunner Schloßtheater haben wird, wird es abhängen, ob es vielleicht doch in einen Abendspielplan übernommen werden kann.

Das Stück selbst versucht eine Möglichkeit darzustellen, wie sich das Schicksal der Unbekannten in der Seine, der Selbstmörderin, deren Totenmaske ja allgemein bekannt ist und von deren Tragödie man nie etwas erfahren hat, ja deren Name sogar bis heute ein Geheimnis geblieben ist, abgespielt haben kann. Die Anlage der Handlung ist so, daß ihr Schauplatz nicht unbedingt Paris, sondern jede Stadt sein kann. Das Experiment aber besteht in der Form des Stückes. Am ehesten vielleicht erinnert es an den Versuch, den Frank Wedekind seinerzeit mit seinem Stück „Musik“ unternommen hat. Es ist der Versuch, das Komische und Groteske der Tragik aufzuzeigen. Selbstverständlich gehe ich meine eigenen Wege, und der Hinweis auf Wedekinds „Musik“ soll nur die Richtung des Experimentes andeuten.

Ich werde keineswegs verwundert sein, wenn das Publikum bei den erschütterndsten und tragischesten Stellen in Gelächter ausbricht. Es soll eben gezeigt werden, wie die tragischen Ereignisse sich im Alltagsleben oft in eine komische Form kleiden. Das Stück repräsentiert aber keineswegs das was man eine Tragikomödie nennt. Es ist ein ganz und gar tragischer Stoff und die Komik, die ihm das Alltagsleben verleiht, kann beispielsweise darin liegen, daß ein Dialog erschütterndsten Inhaltes in Unterhosen geführt wird.

Voraussichtlich im Februar dürfte ein anderes Stück von mir, das vorher fertig wurde, „Hin und her“ am Deutschen Volkstheater herauskommen. Zu diesem Stück hat der Komponist Hans Gal, der bereits von der Städtischen Oper in Berlin aufgeführt wurde, eine meiner Ansicht nach sehr entzückende Musik geschrieben.“

Maria Elsner über ihr Staatsopern-Gastspiel

In der heutigen „Fledermaus“-Aufführung an der Staatsoper gibt Maria Elsner die Rolle der Adele. Maria Elsner, die vor kurzem den bekannten Dramatiker Oedön Horvath geheiratet hat und den Wienern von ihren Gastspielen am Theater an der Wien, zuerst in Lehars „Schön ist die Welt“ und zuletzt in „Die Dame mit dem Regenbogen“ bekannt ist, erzählt über ihr erstes Auftreten an der Wiener Oper:

„Ich habe die Rolle der Adele bereits in Dresden an der dortigen Oper gesungen und auf Grund meiner damaligen Leistung wurde ich vor zwei Jahren an die Dresdener Oper engagiert. Ich will es als ein gutes Omen deuten, daß mein erstes Auftreten an der Wiener Staatsoper nun ebenfalls die Adele in der „Fledermaus“ ist.

Mit Direktor Clemens Krauß und Direktionsrat Dr. Kerber bin ich bereits in Dresden zusammengekommen, aber auch in Salzburg, wo ich während der Festspiele an den „Figaro“-Aufführungen mitwirkte. Nun bin ich überglücklich, daß mein Traum, der ja wohl der Traum einer jeden Sängerin sein muß, in Erfüllung geht, an der Wiener Staatsoper singen zu können. Ich bin von der Arbeit in der Wiener Staatsoper schon jetzt sehr begeistert, ich kann mir gut vorstellen, daß es jeden Opernkünstler beglücken muß, unter der Leitung von Männern wie Direktor Krauß und Direktionsrat Dr. Kerber zu wirken. Ich hoffe nun, daß ich auch dem Wiener Opernpublikum gefallen werde.

Ende Jänner fahre ich nach Paris, wo ich wahrscheinlich in der Reinhardtschen „Fledermaus“-Inszenierung ebenfalls die Adele singen werde. Ueberdies habe ich noch ein zweites Projekt, und zwar soll ich in Prag am Deutschen Theater bei Direktor Eger in „Der Traum einer Nacht“ gastieren.“

Lilia Skalla wieder am Deutschen Volkstheater

In Stephan Kamares Lustspiel „Der junge Baron Neuhaus“ trat unter Beibehaltung der übrigen Besetzung gestern zum ersten Male Lilia Skalla als Maria Theresia auf. Die von ihrem früheren Wirken an der Renaissancebühne und am Deutschen Volkstheater in sympathischer Erinnerung verbliebene Künstlerin hat nach längerem Auslandsengagement erfreulicherweise nunmehr den Weg zurück nach Wien gefunden. Durch neue und durchaus individuelle Auffassung der Rolle bringt sie einen ganz neuen Zug in die in jeder Beziehung tadellose, ja prachtvolle Aufführung. Die jugendlich natürliche Heiterkeit spielt sie ebenso lebenswahr wie die königliche Ueberlegenheit. Christl Mardayn, Rose Stradner, Hans Olden, Hans Moser, Otto Schmöle und Heinrich Schnitzler ernteten neue Lorbeeren.

Th.

Sascha Leontjew

gibt mit der Konzertsängerin Ida Szereszewska einen Tanz- und Liederabend am 18. Jänner, halb 8 Uhr abends, im großen Saal der Urania. Mitwirkend Fred Mer. Am Flügel Professor Carl Lafite und Professor Otto Schulhof.

„2000 Jahre Musik auf der Schallplatte“

Unter diesem Titel hält Maxim Stempel am Samstag, den 13. Jänner, halb 8 Uhr abends, in der Volkshochschule, 16. Bez., Ludo-Hartmann-Platz 7 (Stadtbahnhaltestelle Burggasse), einen interessanten Vortrag, der Proben altgriechischer, frühchristlicher, mittelalterlicher, Renaissance- und Barockmusik zu einer überaus anschaulichen „Tönenden Musikgeschichte“ zusammenfaßt. Karten 30 Gr. in der Volkshochschule, bei Lanyi, 1. Bez., Kärntnerstraße 44, und bei Gronner am Graben.

Wiener Allgemeine Zeitung vom 11. 1. 1934

Berlin, 16. Sept. 34.

Horváth!

Mein lieber Hanschen, Du bist mir sicher ganz entsetzlich böse, dass ich solange nichts von mir hören liess, und zwar bist Du dies mit gewissermassen vollem Recht. Aber bitte vergesse es nicht, dass ich selbst bis heute in Deiner Angelegenheit bei der Fox noch nicht klar sehe. Jeden Tag wurde es mir versprochen, immer wieder hab ich den Brief an Dich aufgeschoben; nun hab ich es aufgegeben. — Du machst Dir ja keine Ahnung, mit welchen Schwierigkeiten hier gefilmt wird, Zensur und dergl. — so, dass alle Leut den Kopf ständig mit Zores voll haben. — — Sowie ich etwas Definitives höre, verständige ich Dich selbstredend sofort.

Der Ullrich hat Deine "Sanfte" über alle Massen gefallen. Ob es aber zur Verwirklichung kommt, möchte ich, offen gestanden, stark bezweifeln, da der Stoff, filmjargonhaft ausgedrückt: zu trist ist. (Die Frau Pictoll ist seit Wochen auf Urlaub, und zwar auf der Insel Mallorca in Spanien).

Brief Ödön von Horváths an seinen Freund Hans Geiringer.

Bei meinen sonstigen Filmen geht alles durcheinander. Den "Kuss im Parlament" hat er verboten, in Deutschland ist also damit nichts mehr zu machen. Vielleicht übernimmt ihn die amerikanische Fox, aber das ist nur sehr vielleicht!!

Ob ich den "Kean" mache, ist mir noch nicht ganz klar. Er soll erst Anfang April erscheinen, so hätte ich also noch Zeit.

Zur Zeit arbeite ich am "Just", alles andere ist noch in Schwebe.

Ich muss nun noch 2–3 Wochen hier bleiben, dann komme ich sicher nach München.

Und, bitte, glaube mir eines: ich vergesse Dich nicht! Wo, wenn und wie immer sich nur eine Gelegenheit bietet, denke ich an Dich!

Sei herzlichst gegrüsst
von Deinem Ödön

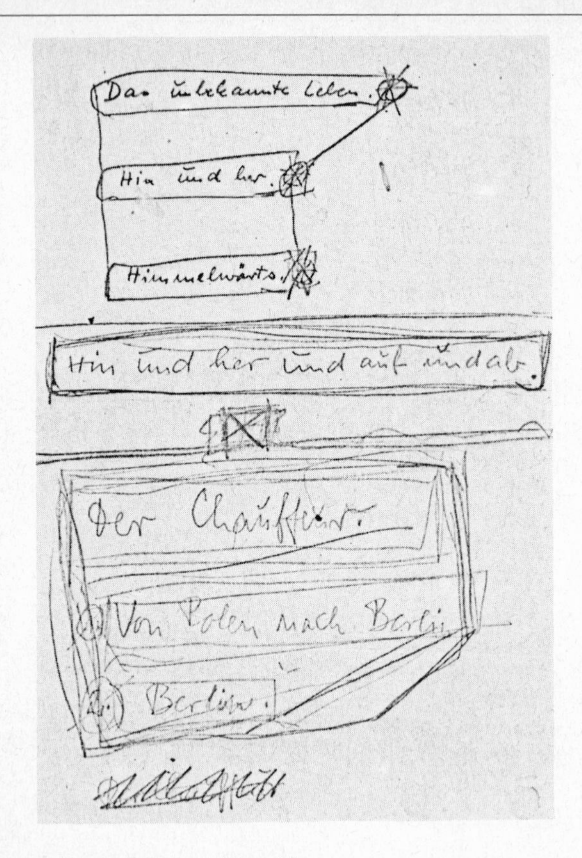

Manuskriptblatt Ödön von Horváths

Franz Theodor Csokor an Ferdinand Bruckner am 20. 11. 1934

... Horváth zimmert eine Komödie »Himmelwärts«, er ist recht verbittert, weil er seit 1933, wo ihm Deutschland verschlossen wurde, in Wien nur an kleinen Bühnen mit Zufallsensembles, die sich aus deutschen Schauspieleremigranten zusammensetzen, gespielt wird – und das sehr selten. Von ausländischen Bühnen meldeten sich bisher nur Zürich und die Tschechoslowakei. ...

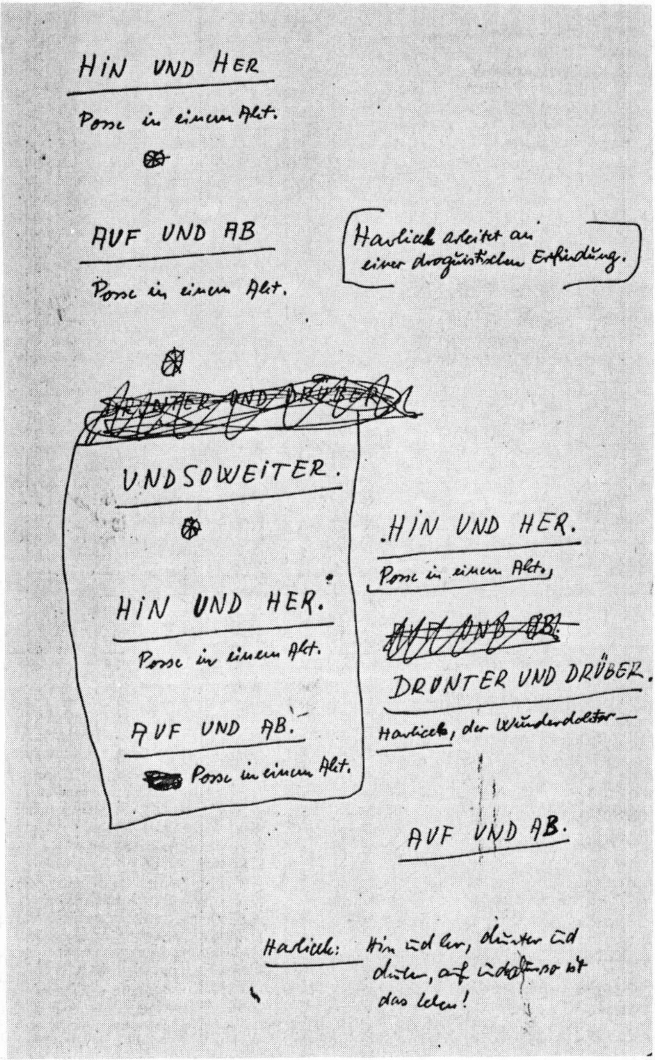

HIN UND HER

Posse in einem Akt.

AUF UND AB

Posse in einem Akt.

Havlicek arbeitet an einer drogistischen Erfindung.

~~DRUNTER UND DRÜBER~~

UNDSOWEITER.

HIN UND HER.

Posse in einem Akt.

AUF UND AB.

Posse in einem Akt.

HIN UND HER.

Posse in einem Akt.

~~AUF UND AB.~~

DRUNTER UND DRÜBER.

Havlicek, der Wunderdoktor —

AUF UND AB.

Havlicek: Hin und her, drunter und drüber, auf und ab – so ist das Leben!

Manuskriptblätter Ödön von Horváths

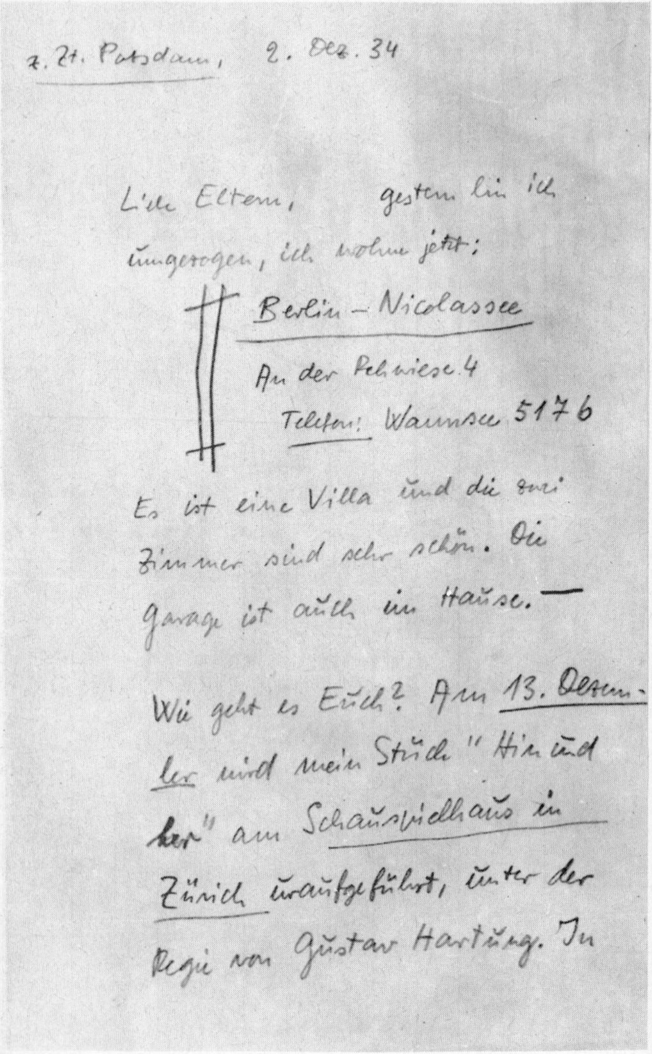

z. Zt. Potsdam, 2. Dez. 34

Liebe Eltern, gestern bin ich umgezogen, ich wohne jetzt:

Berlin – Nicolassee

An der Rehwiese 4

Telefon: Wannsee 5176

Es ist eine Villa und die zwei Zimmer sind sehr schön. Die Garage ist auch im Hause. —

Wie geht es Euch? Am 13. Dezember wird mein Stück "Hin und her" am Schauspielhaus in Zürich uraufgeführt, unter der Regie von Gustav Hartung. Im

einer wunderbaren Besetzung.
Horwitz und Kalser, die früher
in München waren, spielen auch
mit. Leider kann ich unmöglich hin. Aber vielleicht könnt Ihr
hinfahren, Du l. Gus, hast doch
Freikarten — könntest auf den
einen Abend wirklich hinfahren.
Ich schreibe dann hin und Ihr
bekommt 2 wunderbare Plätze.
Es ist ein Stück mit Musik
und Gesang – das erstemal,
daß ich Lieder geschrieben habe.
Die Musik ist von einem berühmten Komponisten, Hans Gál,
und ist wunderbar!

Wann kommst Du, l. Lajos, wieder hierher? Ich kann leider erst zu Weihnachten kommen, habe hier mit dem Film furchtbar viel zu tun. Es zieht sich immer mehr in die Länge.

Es grüßt und küßt
Euch vielmals Euer Ödön

DIE BILLETSTEUER DROHT!
Die Volksabstimmung findet am 16. Dezember d. J. statt
Beachten Sie unseren Artikel auf Seite 1

Donnerstag den 13. Dezember, abends 8¼ Uhr:

Uraufführung

unter persönlicher Leitung des Komponisten

Hin und Her

Komödie in 2 Teilen von Oedön Horvath
Musik von Hans Gal

Regie: Gustav Hartung — Bühnenbild: Teo Otto

Ferdinand Havlicek	Fritz Essler
Thomas Szamek, ein Grenzorgan	Heinrich Gretler
Eva, dessen Tochter	Gusti Huber
Konstantin, auch ein Grenzorgan	Emil Stöhr
Mrschitzka, ein Gendarm	Herman Wlach
Frau Hanusch	Luise Franke-Booch
X, der Chef der Regierung auf dem rechten Ufer	Kurt Horwitz
Sein Sekretär	Hans Wlasak
Y, der Chef der Regierung auf dem linken Ufer	Wolfgang Heinz
Ein Privatpädagoge	Leonard Steckel
Seine Frau	Evi Lissa
Frau Leda	Josy Holsten
Schmugglitschinski, ein Oberschmuggler	Erwin Kalser

3 Schmuggler

Pause nach dem 1. Teil

Kassaeröffnung 6 Uhr — Anfang 8¼ Uhr — Ende ca. 10½ Uhr

Der vom linken
Ufer ausgewiesene
Havlicek in
»Hin und her«:

... es schaut nämlich
einfacher aus, als wie es
ist, wenn man so weg muß
aus einem Land, in dem
man sich so eingelebt hat,
auch wenn es vom
Zuständigkeitsstandpunkt
nicht die direkte Heimat
war – aber es hängen doch
soviel Sachen an einem,
an denen man so hängt.

A. Broch

Nachdruck verboten

Wien, du Stadt meiner Träume

Mein Herz und mein Sinn schwärmt stets nur für Wien,
Für Wien, wie es weint, wie es lacht, -
Da kenn ich mich aus, da bin ich halt z'haus
Bei Tag und noch mehr bei der Nacht. -
Und keiner bleibt kalt, ob jung oder alt,
Der Wien, wie es wirklich ist, kennt.
Müßt ich einmal fort von dem schönen Ort,
Da nähm' meine Sehnsucht kein End. -
Kehrreim: Dann hört' ich usw.

Bei jeder Gaudé, na, sie wissen's ja eh',
Bin ich allemal gleich dabei.
Ich b'halt mein Hamur bis spat in der Fruah
Mir ist alles dann einerlei.
Und wenn ich beim Wein dann sitze zu zwei'n,
Und sehnend ein Arm mich umschlingt,
Wenn heimlich und leis der Heimat zum Preis
Ein Straußischer Walzer erklingt:
Kehrreim: Dann hört' ich usw.

Ob ich will oder net, nur hoff' ich, recht spät muß ich einmal fort von der Welt.
Geschieden muß sein von Liebe und Wein, weil alles, wie's kommt, auch vergeht.
Ah' das wird ganz schön, ich brauch ja nicht z'gehn, ich flieg doch in' Himmel hinauf,
Dort setz' ich mich hin, schau' runter auf Wien, der Steffel der grüßt ja herauf.

Dann hört' ich aus weiter Ferne ein Lied -
Das klingt und singt, das lockt und zieht:
Wien, Wien nur du allein sollst stets die Stadt meiner Träume sein,
Dort wo die alten Häuser stehn, dort wo die lieblichen Mädchen gehn,
Wien, Wien nur du allein sollst stets die Stadt meiner Träume sein,
Dort wo ich glücklich und selig bin, ist Wien, ist Wien, mein Wien! -

Dr. R. Sieczyński

Es wird bestätigt, daß über

rrn —/Frau/ Ödön von HORVARTH

boren am 9.12.1901 in Fiume/Italien

Zentralmeldeamt der Bundespolizeidirektion Wien nachstehende Meldungen erliegen:

Gemeldet vom	Gemeldet bis	Angegebene frühere Unterkunft	Gemeldete Unterkunft	Abgemeldet nach
6.5. 919	-----	München	1, Rathausstraße 17/6	ohne Abmeldung

Kammerspiele. I. Rotenturmstrasse 20. Telephon R-26-4-22.

Gastveranstaltungen des Verlages „Bücher des Vaterlandes“ zugunsten der „Winterhilfe“.

Blumen der Heimat.

Ein Spiel für Kinder und andere ernsthafte Leute von Leopold Bauer. Musik von Roman Chmel.

9./II. Anfang 16 Uhr. 1935

Gastspiel der Gruppe Ernst Lönner.

Kasimir und Karoline.

Volksstück von Oedön Horvath. Musik von Josef C. Knaflitsch.

Kasimir . . . . Grünne
Karoline . . . . Gerzner
Rauch . . . . Waldis
Speer . . . . Staufen
Schürzinger . . . . Schrecker
Der Merkel Franz . . . . Sala
Seine Erna . . . . Prinz
Elli . . . . v. Hutten
Maria . . . . Marian
Der Sanitäter . . . . Nachmann

Anfang 20 Uhr. N. f. K. Ende 22 Uhr.

Ein „Kleines Volksstück“ im Theater für 49.

In dem kleinen Volksstück „Liebe, Pflicht und Hoffnung“ von Oedön Horvath wird das traurige Schicksal eines armen Mädchens geschildert, das sich mit ehrlicher Arbeit fortbringen will, in seiner Hilflosigkeit aber in das Gestrüpp der Gesetzesparagraphen gerät und darin elend zugrunde geht. Das Theater für 49 hat dem Stück, das einige gut gesehene Typen enthält, unter Direktor Jubals Regie eine wirkungsvolle Aufmachung gegeben. Hedwig Schlichter, die Darstellerin des armen Mädchens, ist ein beachtenswertes Talent. Es gelang ihr, aus unscheinbaren Anfängen in wohlabgewogener Steigerung die Figur der Dulderin bis zum Gipfel der Tragik zu führen. Ein Gewinn für das Volksstück scheint auch Eduard Linkers zu sein. Feodor Weingart macht gute Figur. Eine köstliche Type bot wieder die in chargierten Frauengestalten aus dem Volke bewährte Alexandra Hermann. Aus der langen Reihe der Mitwirkenden sind noch besonders Traute Larsen, Traute Witt, Hugo Gottschlich, Rafael Zimmermann, Marcel Barth, Hans Schwarz und Max Balter hervorzuheben. Bei der Premiere spendete das Publikum reichen Beifall.

Im Theater für 49

Neues Stück von Oedön Horvat

Direktor Jubal bringt in seinem kleinen Kellertheater ein unbekanntes Werk von Oedön Horvat zur Uraufführung. Mit großem Erfolg. „Liebe, Pflicht und Hoffnung" heißt das kleine Volksstück. Mit leichter Hand, aber kritisch-scharfem Blick zeichnet der Dichter in fünf Bildern das Schicksal eines Wiener Mädels, das aus Unwissenheit mit dem Gesetz in Konflikt gerät, unschuldig verurteilt wird und endlich in den Tod geht. Tiefe Schwermut liegt über dem Stück, das dramaturgisch sehr wirksam aufgebaut ist, und von Jubal ganz im Sinne des Autors in Szene gesetzt wurde.

Die Schauspieler spielen durchwegs ausgezeichnet, Hedwig Schlichter hat die innerliche Größe des armen, zu Boden geworfenen Mädchens. Der jugendliche Liebhaber Feodor Weingart hat Feuer und überschäumendes Temperament des Anfängers, das man bei Routiniers so oft schmerzlich vermißt.

Traute Witt ist eine charmante Kleinbürgerin. Zwischen den einfältigen Worten, die sie zu sprechen hat, klingt ein warmer, herzlicher Ton. Eduard Linkers gibt eine köstliche Charaktertype. Ein eindrucksvoller Abend. F.

Franz Theodor Csokor an Ferdinand Bruckner am 29. 12. 1935

..Mit meinem lieben Ödön ist das eine wirkliche Tragödie! Im Dritten Reich als entartet verboten, bleibt ihm nurmehr Wien, Zürich und Prag, denn auch Budapest verschließt sich ihm. Seine letzte Aufführung an einer großen Bühne Deutschlands erlebte er 1932 in Leipzig... Wir haben uns sehr eng befreundet, er ist mir und ich bin ihm hier der nächste, auch im Schicksal des Schweigens, das uns umgibt, während den hier und in Berlin Wohlgelittenen alle Türen der Verlage und Theater offenstehen; wir beide sind eigentlich schon Emigranten des Landes, darin wir wohnen....

Scala
WIEN, IV. FAVORITENSTR. 8
TEL. U 43-5-26

Wien, 22. Oktober 1935.

Sehr verehrter Herr Horvath!

Mit wirklichem Interesse habe ich Ihr Stück gelesen und mit noch grösserer Freude kann ich Ihnen mitteilen, dass es mir ausserordentlich gefallen hat.

Ich hoffe, dass sich auch der erwartete Publikumserfolg einstellt . Wir werden also wie mündlich vereinbart einen näheren Aufführungstermin festlegen, jedenfalls werde ich noch in diesem Jahr Ihr Werk herausbringen.

Über die Besetzung und die übrigen Details, werden wir uns ja, ebenso wie über den Titel des Stückes noch eingehend unterhalten.

Mit den besten Grüssen bin ich

Ihr

[Unterschrift]

Falsche Komplexe
Mit dem Kopf durch die Wand.
von
Oedön von Horvath.

Franz Theodor Csokor an Ferdinand Bruckner am 29. 12. 1935

...Übrigens, ein neuer Horváth, nicht sein bester, die Komödie »Mit dem Kopf durch die Wand«, fiel an der »Scala« sanft durch, weniger des Autors wegen als dank der »Bearbeitung« des Direktor-Regisseurs Rudolf Beer. Egon Friedell spielte mit und trieb schon bei den Proben Unfug aller Art, während Ödön, resigniert an einer rohen Zwiebel kauend, Beers »Verbesserungen« über sich ergehen ließ, des üblen Ausgangs sicher.

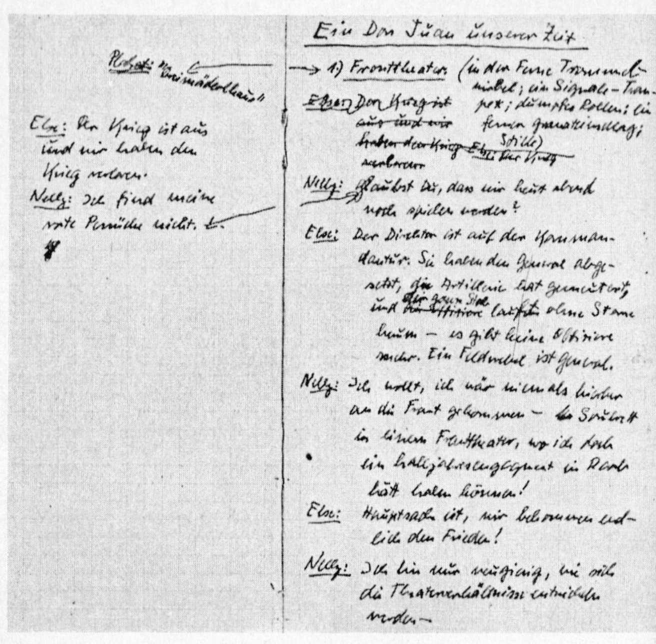

Elsa: Der Krieg ist aus und wir haben den Krieg verloren.
Nelly: Ich find meine rote Perücke nicht.

Ein Don Juan unserer Zeit

1.) Frontheater (in der Ferne Trommelwirbel; ein Signale-Trompet; dumpfes Rollen: ein fernen Granateinschlag; Stille)

Elsa: ~~Der Krieg ist aus und wir haben den Krieg verloren~~

Nelly: Glaubst Du, dass wir heut abend noch spielen werden?

Elsa: Der Direktor ist auf der Kommandantur. Sie haben den General abgesetzt, die Artillerie hat gemeutert, und ~~die Offiziere~~ der ganze Stab laufen ohne Sterne herum – es gibt keine Offiziere mehr. Ein Feldwebel ist General.

Nelly: Ich wollt, ich wär niemals hierher an die Front gekommen – ~~in~~ Soubrett in einem Fronttheater, wo ich doch ein Halbjahresengagement in [illegible] hätt haben können!

Elsa: Hauptsache ist, wir bekommen endlich den Frieden!

Nelly: Ich bin nur neugierig, wie sich die Theaterverhältnisse entwickeln werden –

Aus einem Notizbuch Ödön von Horváths
Entwurf zu »Don Juan kommt aus dem Krieg«

Franz Theodor Csokor an Ferdinand Bruckner am 4. 7. 1936

... Ödön von Horváths Adresse ist Wien I, Dominikanerbastei 6, c/o Gräfin Arz. Er ist mit zwei ausgezeichneten Stücken zu Ende gekommen, »Figaro läßt sich scheiden«, worüber ich Dir, wie ich glaube, schon schrieb, und »Don Juan kommt aus dem Krieg«. Das letztgenannte ist vielleicht seine reifste Arbeit bisher, ein unheimliches an die Graphik von Goya und Kubin erinnerndes Schauspiel, darin eine unbeglichene Schuld an der Vernichtung eines Menschen den Täter über alle Frauen, die irgendwie seinem Opfer glichen, weg an das Grab der einst Geliebten treibt, wo er im Schnee, also an der Kälte von außen und innen erfriert. Ich bin glücklich darüber, denn ich halte sehr viel von ihm. Allerdings weiß ich nicht, ob er die große Anerkennung noch erleben wird. Aber kommt es darauf an? ...

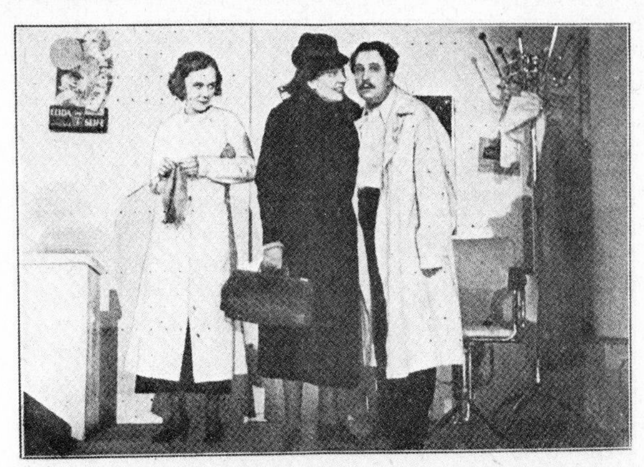

Der erste „Literarische Abend“ in der Kleinen Bühne brachte die Uraufführung der Komödie „Figaro läßt sich scheiden“ von Ödön Horváth unter der Spielleitung von Arnold Marlé. — Auf unserem Bilde: Marion Wünsche als Susanne. Lotte Stein als Hebamme, Hans Götz als Figaro

× **„Figaro läßt sich scheiden“**, Komödie von Oedön Horváth (Uraufführung in der Kleinen Bühne). Dieser erste „Literarische Abend“ hat seinen Zweck, zu lebhafter Diskussion anzuregen, sowohl in künstlerischer als auch in politischer Hinsicht durchaus erfüllt. Horváths Dialog ist freimütig und geistreich, die Gliederung der drei Akte in acht Bilder erscheint der wohl beabsichtigten Filmwirkung gemäß, das Dichterische tritt (von Arnold Marlés verständnisinniger Spielleitung einprägsam gestaltet) vor allem dort in die Erscheinung, wo die Beaumarchais-Mozartschen Figuren sich ihrer Figürlichkeit bewußt werden, ihres typischen Daseins im jahrhundertlangen Zeitablauf, und jener abgelebten Zeiten gedenken, in denen sie zum ersten Male menschlich zu existieren anhuben. Das Politische — explosivster Diskutierstoff — wird dichterisch-menschlich angefaßt, also auch soziologisch und pädagogisch (Mutterschaft, Kindererziehung in friedloser Zeit). Die Revolution, die Grafen- und Dienerpaar aus durchaus verschiedenen Gründen in die Emigration treibt, wird ungetrübten Blicks betrachtet. Allerdings eine recht neutralisierte, maßvoll typisierte Revolution, gleichsam mit Distanzkritik bedacht. Die eigentliche Kritik gilt dem Allgemeinmenschlichen, wie es sich auf politischem Gebiete hüben und drüben, bei den Radikalen sowohl freiheitlicher als auch reaktionärer Observanz, in Umsturzepochen wie am Biertisch offenbart. Horváths Anti-Bekenntnis gilt dem Untermenschentum ohne Unterschied der politischen Färbung. Indem er der überpolitisierten Menschheit in Erinnerung bringt, daß die Welt im Menschen anfängt, bekennt auch er sich zur Politik — zur Politik der Menschlichkeit. Daß er die Form von Scherz, Satire und Ironie wählt, ist für ihn als Bühnendichter der richtige Weg, um die Diskutierenden zur Erkenntnis der tieferen Bedeutung seines anmutigen Spiels zu bewegen. Arnold Marlé, zielsicherer Schrittmacher des Dichters, führte das präzis abgestimmte Ensemble dem menschlichen happy end flott entgegen. Herr Götz als Figaro: der Schelm und Aufwiegler von einst macht hier nicht restlos dem werdenden Philister Platz, und das ist gut so. Das Menschliche strahlt immer wieder hervor. Aber auch das Spießbürgerliche gelingt famos. Frau Wünsche bleibt Susanne, eine herb-anmutige Susanne, starker Ausbrüche fähig und sie künstlerisch meisternd, immer wieder mehr Weib als Weibchen. Herr Siedler als adelsstolzer wie als entwurzelter Almaviva sympathisch maßvoll charakterisierend, Frau Meller als Gräfin leider zu früh vom Schauplatz verschwindend. Frau Stein als drastische Hebamme mit Szenenapplaus bedacht, den auch Herr Götz für einen unvergleichlich vorgebrachten Satz erntete. Frl. Waern als Fanchette reizvoll unalltäglich. Herr Valk als greiser Gärtner — Sinnbild volkstümlicher Abgeklärtheit. Herr Klippel als Revolutionsgewinnler wohl allzu primitiv eindeutig. Der Autor konnte für starken Beifall danken. (o. p.)

Prager Presse vom 4. 4. 1937

Das Dorf ohne Männer

Lustspiel in drei Akten
mit Vorspiel und Nachspiel.

1.) Die Audienz beim Statthalter.

2.) Im Felde.

3.) Bei der Hexe

1.) Audienz in der Burg.

1.) Kanzler.
2.) König.

24. 9. 1937: Ödön von Horváth (5. v. l.) beim Schlußapplaus der Uraufführung von »Ein Dorf ohne Männer« im Neuen Deutschen Theater in Prag.

11. 12. 1937: Szenenfoto der Uraufführung von »Der jüngste Tag« im Deutschen Theater in Mährisch-Ostrau mit Albine Bauer (Frau Leimgruber) und Emerich Exner (Waldarbeiter)

Erstes Bild

Wir befinden uns vor einem Bahnhofsgebäude und sehen von links nach rechts eine Tür, die nach dem ersten Stock führt, einen Fahrkartenschalter und abermals eine Tür mit Milchglasscheibe und der Überschrift »Stationsvorstand«. Daneben einige Signalhebel, Läutwerk und dergleichen. An der Wand kleben Fahrpläne und Reisereklame. Zwei Bänke. Rechts verläuft aus dem Hintergrunde nach vorne die Bahnsteigschranke, aber die Schienen sieht man nicht – man hört also nur die Ankunft, Abfahrt und Durchfahrt der Züge. Hier hält kein Expreß, ja nicht einmal ein Eilzug, denn der Ort, zu dem dieser Bahnhof gehört, ist nur ein etwas größeres Dorf. Es ist eine kleine Station, aber an einer großen Linie.
Auf den Bänken warten zwei Reisende: Die Bäckermeistersgattin Frau Leimgruber und ein Waldarbeiter mit einem leeren Rucksack und einer Baumsäge. Das Läutwerk läutet, dann wirds gleich wieder still.

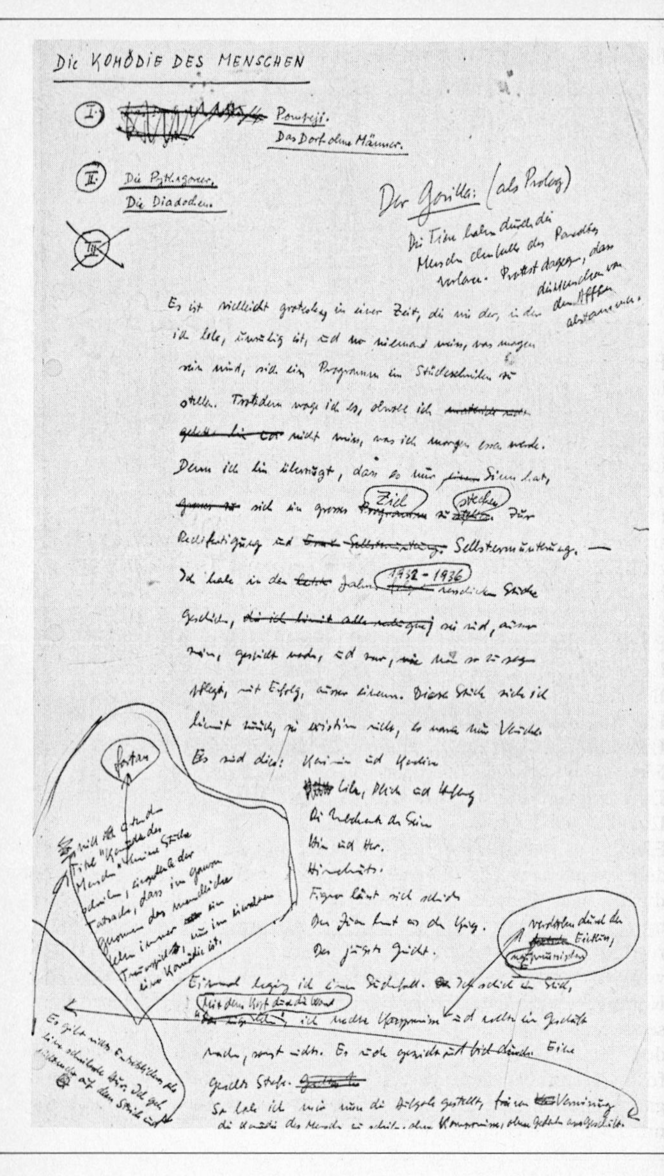

DIE KOMÖDIE DES MENSCHEN

I. Pompeji.
Das Dorf ohne Männer.

II. Die Pythagoreer.
Die Diadochen.

III.

Der Gorilla: (als Prolog)
Die Tiere haben durch die Menschen ehemals das Paradies verloren. Protest dagegen, dass die Menschen von den Affen abstammen.

Es ist vielleicht grotesk in einer Zeit, die wie die, in der ich lebe, unruhig ist, und wo niemand weiss, was morgen sein wird, sich ein Programm im Stückeschreiben zu stellen. Trotzdem wage ich es, obwohl ich nicht weiss, was ich morgen essen werde. Denn ich bin überzeugt, dass es nur Sinn hat, sich ein grosses Ziel zu stecken. Zur Rechtfertigung und Selbstermunterung. — Ich habe in den Jahren 1932–1936 verschiedene Stücke geschrieben, die sind, ausser zwein, gespielt worden, und zwar, wie man so zu sagen pflegt, mit Erfolg, ausser einem. Diese Stücke ziehe ich hiermit zurück, sie existieren nicht, es waren nur Versuche. Es sind dies: Kasimir und Karoline
Glaube, Liebe und Hoffnung
Die Unbekannte aus der Seine
Hin und her.
Himmelwärts.
Figaro lässt sich scheiden
Don Juan kommt aus dem Krieg.
Der jüngste Tag.

fortan

Ich will als Gesamttitel "Komödie des Menschen" meine Stücke schreiben, eingedenk der Tatsache, dass im ganzen genommen das menschliche Leben immer ein Trauerspiel, nur im einzelnen eine Komödie ist.

Einmal beging ich einen Stilbruch. Ich schrieb im Stil, [Mit dem Kopf durch die Wand] ich machte Kompromisse und wollte die Gestalten machen, sonst nichts. Es wurde gerichtet. Eine gerechte Strafe.

verdorben durch den Eitelkeit, kompromisslerisch

So habe ich mir nun die Aufgabe gestellt, frei von Verwirrung die Komödie des Menschen zu schreiben, ohne Kompromisse, ohne Gestalten auszuschalten.

Manuskriptblatt Ödön von Horváths

Es ist vielleicht grotesk, in einer Zeit, die wie der, in der ich lebe, unruhig ist, und wo niemand weiß, was morgen sein wird, sich ein Programm im Stückeschreiben zu stellen. Trotzdem wage ich es, obwohl ich nicht weiß, was ich morgen essen werde. Denn ich bin überzeugt, daß es nur Sinn hat, sich ein großes Ziel zu stecken. Zur Rechtfertigung und Selbstermunterung. –
Ich habe in den Jahren 1932–1936 verschiedene Stücke geschrieben, sie sind, außer einem, gespielt worden, und zwar, wie man so zu sagen pflegt, mit Erfolg, außer einem. Diese Stücke ziehe ich hiermit zurück, sie existieren nicht, es waren nur Versuche. Es sind dies:
Kasimir und Karoline
Liebe Pflicht und Hoffnung
Die Unbekannte der Seine
Hin und Her
Himmelwärts
Figaro läßt sich scheiden
Don Juan kommt aus dem Krieg
Das jüngste Gericht.
Einmal beging ich einen Sündenfall. Ich schrieb ein Stück, »Mit dem Kopf durch die Wand«, ich machte Kompromisse verdorben durch den neupreußischen Einfluß, und wollte ein Geschäft machen, sonst nichts. Es wurde gespielt und fiel durch. Eine gerechte Strafe. So habe ich mir nun die Aufgabe gestellt, frei von Verwirrung die Komödie des Menschen zu schreiben, ohne Kompromisse, ohne Gedanken ans Geschäft. Es gibt nichts Entsetzlicheres als eine schreibende Hur. Ich geh nicht mehr auf den Strich und will unter dem Titel »Komödie des Menschen« fortan meine Stücke schreiben, eingedenk der Tatsache, daß im ganzen genommen das menschliche Leben immer ein Trauerspiel, nur im einzelnen eine Komödie ist.

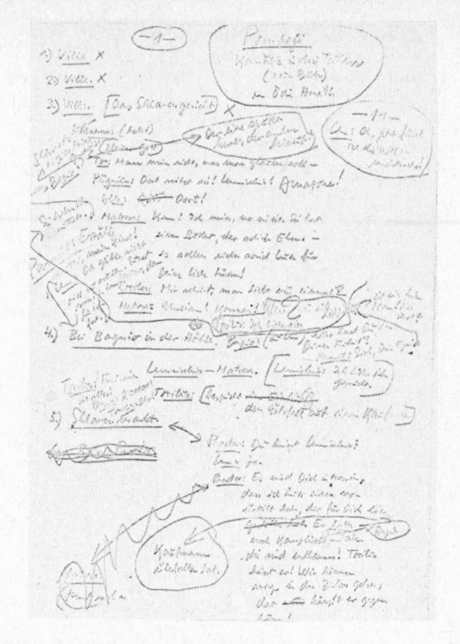

Manuskriptblätter Ödön von Horváths

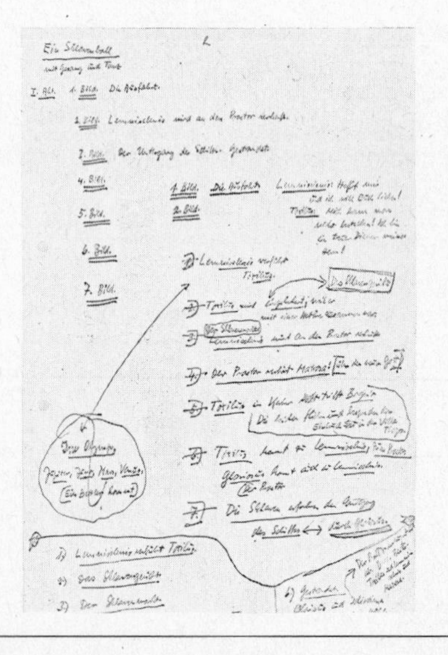

EIN SOLDAT SEINER ZEIT

[Roman.]

1.) Der Vater aller Dinge

2.) Das verwunschene Schloss

(Die Wahrsagerin. Am Ende der Nacht.)

gerschossen wird

(Durch Arbeit unglücklich, etc.)

3.) Krieg ohne Kriegsschilderung. Es wird gesäubert!

[Eine Hymne des Grauens]

Die Flieger. (die Brücke)

Der Hauptmann, dem es graust.

[Gesäubert. Verwundet. Die Schandtaten im Felde.]

Besuch des Vaters.

Die übrigen Kranken im Krankenhaus

4.) Anna, die Soldatenbraut. [Die Briefe], in denen sie zur Revolution aufruft, zur menschlichen Revolution]

Erster Brief. "Ich habe Dich lieb erwartet."

Ich habe die Briefe gelesen. Jetzt ist die Liebe in mir erwacht. Jetzt hat wer zu meiner Seele gesagt: "Steh auf!" Oder: "Suche mit Suche Deine Seele!"

Ich suche Anna.

Das verwunschene Schloss ist abgebrochen. Den Schrebergarten gehört jemand anderm.

Sie wird irrsinnig.

5.) Der Bonze.

[Wieder im Feld. Ausgezeichnet und befördert zum Leutnant. Das Fronttheater. Die gestellten Greuel. Die Nutte, die erzählt, dass sie mit dem Agenten der Rüstungsindustrie geschlafen hat = die Visionen der Rüstung. Eugen im Bett]

(Im Casino; das Wort, das so schön ist.)

Und wieder mitten im Casino und das Wort, das so schön ist, ist gar abgegriffen.

6.) Der Schneemann.

Heldengedenktafel. [Kein Mitleid mit den Gefallenen, sondern: wo ist das Recht?]

[Der dritte Urlaub, ich muss Anna finden]

"Liebe Deine Feinde, aber hasse den Antichrist!" steht in der Kirche.

7.) Die Nebel der Zukunft.

[Wieder im Feld! Rausch und Skandal im Casino]

6

H[illegible]dorf, am 24. Nov. 37

Mein lieber [illegible]ter Csok, Dank für Deinen Brief! [illegible] ich der Frau Elbogen mit gleichen Po[illegible]

Hier ist [illegible] unberufen, sehr schön. Nur kalt und wieder kalt. Putzi lässt Dich bestens grüssen. Als ich ankam, gabs eine Bauernhochzeit mit 400 Gästen, Tanz, Fressen und Rauferei wegen der "Kuchelmenscher" – zu deutsch: wegen der Damenwelt. –

Hier fand ich einige begeisterte Briefe über meinen Roman vor, so von Hatvany, über den ich mich besonders freue. Thomas Mann hat Zuck geschrieben, dass er den Roman für das beste Buch der letzten Jahre hält. Zuck hat von der "Neuen Fr. Presse" Nachricht: sie wollen, dass er es im Literaturblatt bespricht und nicht als Feuilleton. Er will aber nun ein[illegible] Artikel schreiben, [illegible] die "Presse" veröffentlichen. [illegible]schrift von Thomas Mann [illegible] das Buch schreiben. [illegible] in der "Presse" [illegible] wunderbar, lieber Csok!

Es dreht sich für mich jetzt sowieso darum, dass die Besprechungen noch vor Weihnachten, möglichst bald, erscheinen! –

Schreib mir bald wieder, mein lieber ~~Csok, wie es Dir geht! Arbeite nur~~ das Gyges-Stück weiter, ich bin überzeugt, dass es richtig ist und dass Du es in ganz kurzer Zeit fertig haben wirst. Mach aber nur möglichst ein reines Männerstück – ich habe so das Gefühl, dass dies das beste wär! Arbeite, toi toi toi!

Ich umarme Dich

Dein Ödön

Henndorf, am 24. November 37

Mein lieber, guter Csok, dank für Deinen Brief! Ich schreibe der Frau Eltbogen mit gleicher Post.
Hier ist es, unberufen, sehr schön. Nur kalt und wieder kalt. Putzi läßt Dich bestens grüßen. Als ich ankam, gabs eine Bauernhochzeit mit 400 Gästen, Tanz, Fressen und Rauferei wegen der »Kuchelmenscher« – zu deutsch: wegen der Damenwelt. –
Hier fand ich einige begeisterte Briefe über meinen Roman vor, so von Hatvany, über den ich mich besonders freue. Thomas Mann hat Zuck geschrieben, daß er den Roman für das beste Buch der letzten Jahre hält. Zuck hat von der »Neuen Fr. Presse« Nachricht: sie wollen, daß er es im Literaturblatt bespricht und nicht als Feuilleton (wahrscheinlich wegen des Verkaufs im III. Reich). Er will aber nur ein Feuilleton, einen größeren Artikel schreiben, so wird er nun auf die »Presse« verzichten und will in der Zeitschrift von Thomas Mann einen Artikel über das Buch schreiben. Vielleicht willst Du in der »Presse« schreiben? Das wäre wunderbar, lieber Csok!
Es dreht sich für mich jetzt soviel darum, daß die Besprechungen noch vor Weihnachten, möglichst bald, erscheinen! –
Schreib mir bald wieder, mein lieber Csok, wie es Dir geht! Arbeite nur das Loyola-Stück weiter, ich bin überzeugt, daß es richtig ist und daß Du es in ganz kurzer Zeit fertig haben wirst. Mach aber nur möglichst ein reines Männerstück – ich hab so das Gefühl, daß dies das beste wär! Unberufen, toi, toi, toi!
Ich umarme Dich — Dein Ödön

V E R T R A G.

Zwischen Herrn Ödön v. Horvath, (im Folgenden der Autor genannt) und dem Verlag Allert de Lange, Amsterdam, (im Folgenden der Verlag genannt) wird hiermit folgender Vertrag geschlossen:

1/. Der Autor übergibt dem Verlag das ausschliessliche Verlagsrecht für die deutsche Ausgabe seines nächsten Romans.

2/. Als Honorar erhält der Autor für jedes verkaufte Exemplar eine Beteiligung von 12% vom Ladenpreis.

3/. Abrechnungen über die verkauften Exemplare finden zweimal im Jahre statt und zwar am 1.1. und 1.7.
Etwaige Auszahlungen erfolgen einen Monat nach der Abrechnung.

4/. Der Autor übergibt dem Verlag die Übersetzungsrechte in fremden Sprachen. Der Verlag erhält von allen Einnahmen aus diesen Rechten 25%, der Autor 75%. Der Verlag verpflichtet sich alle Eingänge, nach Abzug seiner Provision, sofort an den Autor auszuzahlen. Er hat jedoch das Recht, abgesehen von seiner Provision, 25% dieser Eingange auf den Vorschuss zu verrechnen, solange dieser noch nicht durch die deutsche Buchausgabe gedeckt ist.

5/. Der Autor übergibt dem Verlag die Weltfilmrechte. Falls durch Vermittlung des Verlages die Filmrechte verkauft werden, so erhält der Verlag 15%, der Autor 85%.
Falls die Filmrechte ohne Vermittlung des Verlages verkauft werden, erhält der Autor 95%, der Verlag 5%.
Alle Eingange aus den Filmrechten werden sofort nach Eingang an den Autor ausgezahlt.

6/. Der Autor erhält eine Garantie von Hfl. 500.--, von denen 1/3 bei Unterschrift des Vertrages fällig ist; die übrigen 2/3 werden nach Ablieferung eines Teils des Manuskripts in 2 monatlichen Raten ausgezahlt.

7/. Der Autor verpflichtet sich das gesamte Manuskript spätestens bis zum 1.8.'38 abzuliefern.

8/. Der Verlag setzt den Ladenpreis fest und hat das Recht ihn heraufzusetzen bezw. herabzusetzen.
Falls der Verlag Exemplare zu einem niedrigen Preise als zu dem ursprünglich festgesetzten Ladenpreise verkauft, so erhalt der Autor 10% des Erlöses.

9/. Der Verlag erhält das Recht 10% über die Auflage hinaus honorarfrei zu drucken, für den Versand von Freiexemplaren, etc.

10/. Der Autor erhält für das erste Tausend der Auflage 10 Freiexemplare, für jedes weitere Tausend 5 Freiexemplare.

11/. Eventuelle Streitigkeiten aus diesem Vertrage, welche die kontrahierenden Parteien nicht untereinander schlichten können, werden entschieden durch einen beiden Parteien günstig bekannten fachmännischen Schiedsrichter.

Erfüllungsort: Amsterdam.

Ausgefertigt in duplo.

den 30. November 1937.

N.V. ALLERT DE LANGE

Ödön von Horváth

ieber Freund Kubin

Seit die Kälte vorbei ist (gestern sah ich sogar schon
e Viertelstunde einen fliegenden Citronenfalter zu/ bin
h fast jeden Tag wieder ein wenig im Garten, räume auf,
be ein Feuer brennen und habe in der Nähe unsern Lorenzo
beiten, der die Reben schneidet. Meine Frau steckt, soweit
ie irgend Zeit findet, ganz im Griechischen, teils im Lesen
r Dichter teils im Archäologischen. Sie läst grüßen und
eut sich darüber, das Sie Carossa in der Nähe haben und
uweilen sehen. Ein kleines Buch empfehle ich Ihnen, eine
rzählung "Jugend ohne Gott" von ////// Horvath. Vielleicht
rwischen Sie sie irgendwo; sie hat Fehler, ist dennoch gros-
rtig, und schneidet quer durch den moralischen Weltzustand
von heute. Ich bin froh Sie produktiv zu wissen, und freue
ich dessen was Sie über die Fratzen der Zeit sagen, und wie
nches davon Ihnen zur Zeichnung wird. Produktiv, aber im
ktuellen untätig und unerschüttert müssen wir durch diese
hantastik hindurch. Von Herzen grüßt Sie Ihr

H Hesse

Iermann Hesse an Alfred Kubin, ca. Februar 1934

1937: Ödön von Horváth

Letzte Manuskriptseite von »Ein Kind unserer Zeit«

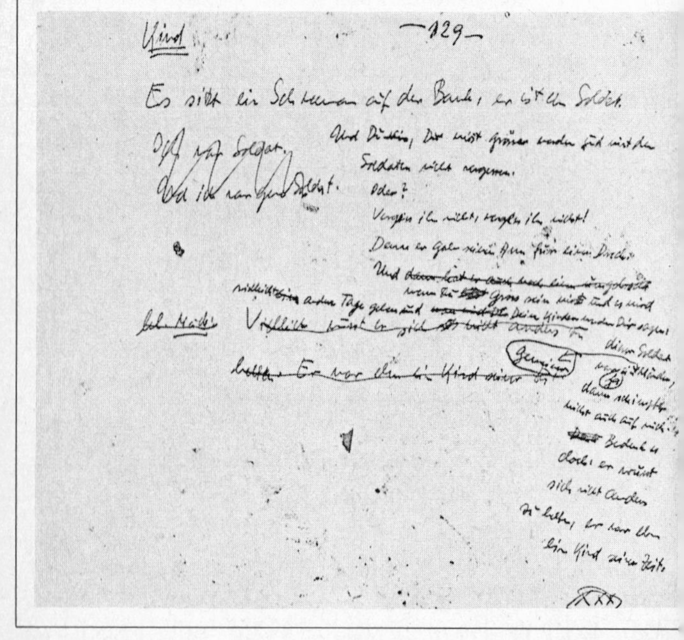

Kind —129—

Es sitzt ein Schneemann auf der Bank, er ist ein Soldat.

Es sitzt ein Schneemann
auf der Bank,
er ist ein Soldat,
Und Du, Du wirst größer
werden und wirst den
Soldaten nicht vergessen.
Oder?
Vergiß ihn nicht,
vergiß ihn nicht!
Denn er gab seinen Arm
für einen Dreck.
Und wenn Du groß sein wirst
und es wird vielleicht
andere Tage geben und
Deine Kinder werden Dir
sagen: dieser Soldat war
ja ein gemeiner Mörder,
dann schimpf nicht auf mich.
Bedenk es doch: er wußt
sich nicht anders zu helfen,
er war eben ein Kind seiner Zeit.

Redaktion, Administration, Druckerei:
I. Schulerring, Fichtegasse Nr. 9–11.
Telephon: Redaktion und Administration
Serie U-18-5-95.
Berliner Redaktion: Berlin W. 9, Eichhornstraße 12. Telephon: 22 56 00.
Londoner Büro: Printing House Square
London, E. C. 4. Telephon: Central 2001.
Römisches Büro: Via Gesù e Maria 25.
Telephon 64 505.
Geschäftsstelle f. d. Tschechoslowakische Republik: Prag, II. Hybernska ulice 42/II.
Telephon: 37-207, 74-9-62.

Neue Freie Presse

Abendblatt.

Preis in Wien: 20 Groschen.
Inseraten-Annahme laut aufliegendem Tarif in unseren Büros:
I. Schulerstraße 1–3. Tel. R-21-5-80.
I. Fichtegasse 9–11. Tel. U-18-5-95.
„Kleiner Anzeiger“ und Chiffrebriefe Abt. im Stadtbüro.
I. Schulerstraße 1–3. Tel. R-21-5-80, und bei allen Inseraten-Büros des In- und Auslandes.
Für die an Agenten, Austräger oder Verschleißer bezahlten Beträge leisten wir keine Garantie.
Nr. 26402 A — Wien, Samstag, den 12. März — 1938.

Ein historischer Tag.

Wien, 12. März.

Der gestrige Tag ist zu einem historischen Datum geworden, das in der Geschichte fortleben wird. Der Sturz des Bundeskanzlers Dr. v. Schuschnigg zieht einen Strich unter die Vergangenheit und Gegenwart des österreichischen Staates und eine jahrhundertelange Entwicklung, die reich an ruhmvollen Abschnitten war. Die Machtübernahme durch die Regierung Dr. Seyß-Inquart eröffnet ein neues Kapitel. Es entspricht nicht deutscher Art, Tatsachen mit Selbsttäuschung entgegenzublicken, es ist vielmehr geboten, sie zur Kenntnis zu nehmen und ihnen Rechnung zu tragen. Ein Irrtum wäre es jedoch, anzunehmen, daß die Schicksalswende erst mit dem gestrigen Tage angefangen hat. Sie beginnt vielmehr mit dem Ende des Weltkrieges, den Deutschland und Oesterreich Schulter an Schulter durchkämpften und der trotz unvergleichlicher Ruhmestaten auf den Schlachtfeldern, trotz eines beispiellosen Heldentums einen so tragischen Ausgang nahm. Nur die Verblendung der Sieger, wie die in ihrem Lager so heftig wütende Kriegspsychose konnte es dahin bringen, den Schmerz noch künstlich zu steigern, die Gleichberechtigung auszulöschen und der Welt ein zweifaches Recht aufzuzwingen: das der Sieger und das der Besiegten.

Seit dem gewaltigen Geschehen am Ende des Jahres 1918 hat Oesterreich die verschiedensten Versuche unternommen, seine staatliche Selbständigkeit zu bewahren und sein Eigenleben, wenn auch auf veränderter Basis, fortzusetzen. Es hat ungeheure Anstrengungen gemacht, um dazu beizutragen, der deutschen Sache in der Welt zu nützen, kulturell die alte Höhe zu benützen, um sich wirtschaftlich wieder aufzurichten. Es ist heute nicht der Augenblick, den Sinn auf die Vergangenheit zu richten; das Denken und Trachten gehört vielmehr der Gegenwart und Zukunft mit ihren so tief wirkenden, umformenden Geschehnissen. Der gestrige Tag brachte in Wien und in den anderen Städten Oesterreichs große Kundgebungen für den Sieg der nationalsozialistischen deutschen Arbeiterpartei, die in Ruhe und Ordnung verlaufen sind. Das erste Wort, das der nunmehrige Bundeskanzler Dr. Seyß-Inquart nach dem historischen Umschwung im Rundfunk sprach, war ein nachdrücklicher Appell an alle, die Disziplin zu bewahren, um so die nächsten Stunden und Tage in voller Ordnung durchstehen zu können. Seine Beobachtung bezeichnete er als wichtigste Pflicht. Möge dieser Appell der neuen Regierung überall gehört und strenge eingehalten werden!

Reichsführer Himmler in Wien.

Amtlich wird mitgeteilt: Reichsführer SS. Himmler ist, im Flugzeug aus München kommend, heute gegen 5 Uhr in Wien eingetroffen. In seiner Begleitung befinden sich unter anderen der Chef der Schutzpolizei SS. Gruppenführer Heyderich, der Chef der Ordnungspolizei General Daluege, SS. Oberführer Jost, SS. Standartenführer Müller und Oberstleutnant der Schutzpolizei Meißner.

Angelobung der neuen Regierung.

Heute vormittag fand die Angelobung der neuen Regierungsmitglieder durch den Bundespräsidenten statt. Die Uebernahme der Ministerien durch die neuen Minister erfolgte zum Teil bereits vormittags, zum Teil wird sie im weiteren Verlauf des Tages vor sich gehen.

Auflösung der Vaterländischen Front.

Amtlich wird verlautbart: Der Bundeskanzler hat als Frontführer entschieden, daß die Vaterländische Front als Organ der politischen Willensbildung zu bestehen aufgehört hat. Ueber die Frontwerke und deren Fortführung wird gesondert entschieden.

Proklamation des Reichskanzlers Hitler.

Aus dem Reichsministerium für Volksaufklärung und Propaganda in Berlin verlas heute mittag Minister Doktor Göbbels folgende Botschaft des Führers und Reichskanzlers Adolf Hitler:

Deutsche! Mit tiefem Schmerz haben wir seit Jahren das Schicksal unserer Volksgenossen in Oesterreich erlebt. Eine ewige geschichtliche Verbundenheit, die erst durch das Jahr 1866 gelöst wurde, im Weltkrieg aber eine neue Besiegelung erfuhr, fügt Oesterreich seit jeher ein in die deutsche Volks- und Schicksalsgemeinschaft. Das Leid, das diesem Lande erst von außen und dann im Innern zugefügt wurde, empfanden wir als unser eigenes, so wie wir umgekehrt wissen, daß für Millionen Deutschösterreicher das Unglück des Reiches die Ursache der gleichen Besorgnis und Teilnahme war.

Als in Deutschland die Nation dank dem Siege der nationalsozialistischen Idee wieder den Weg zum stolzen Selbstbewußtsein eines großen Volkes fand, begann in Oesterreich eine neue Leidenszeit bitterster Prüfungen. Ein Regime, dem jeder legale Auftrag fehlte, versuchte seine von überwältigender Mehrheit des österreichischen Volkes abgelehnte Existenz durch brutalste Mittel des Terrors, der körperlichen und wirtschaftlichen Züchtigung und Vernichtung aufrecht zu erhalten. So konnten wir es als großes Volk erleben, daß mehr als sechs Millionen Menschen unserer eigenen Herkunft von einer ziffernmäßig kleinen Minorität unterdrückt wurden, die es einfach verstanden hatte, sich in den Besitz der hiezu notwendigen Machtmittel zu bringen. Der politischen Entrechtung und Knebelung entsprach ein wirtschaftlicher Verfall, der in furchtbarem Gegensatz stand zur Blüte des neuen Lebens in Deutschland.

Wer konnte es diesen unglücklichen Volksgenossen verdenken, daß sie ihre Blicke sehnsüchtig nach dem Reiche richteten, nach jenem Deutschland, mit dem ihre Vorfahren durch so viele Jahrhunderte verbunden waren, mit dem sie selbst einst im schwersten Krieg aller Zeiten Schulter an Schulter kämpften, dessen Kultur ihre Kultur war, zu der sie selbst auf so vielen Gebieten höchste eigene Werte beigesteuert hatten. Diese Gesinnung unterdrücken, hieß nichts anderes, als Hunderttausende von Menschen zu tiefstem Seelenleid zu verdammen. Allein, wenn vor Jahren dieses Leid noch geduldig ertragen wurde, dann war mit dem steigenden Ansehen des Reiches der Wille, die Unterdrückung zu beseitigen, immer heftiger geworden.

Deutsche! Ich habe in den letzten Jahren versucht, die früheren Machthaber in Oesterreich vor diesem ihrem Wege zu warnen. Nur ein Wahnwitziger konnte glauben, durch Unterdrückung den Menschen die Liebe zu ihrem angestammten Volkstum auf die Dauer rauben zu können. Die europäische Geschichte beweist es, daß in solchen Fällen nur ein um so größerer Fanatismus gezüchtet wird. Dieser Fanatismus zwingt dann die Unterdrücker, zu immer schärferen Methoden der Vergewaltigung zu greifen und diese wieder steigern den Abscheu und den Haß der davon Betroffenen.

Ich habe weiter versucht, die dafür verantwortlichen Machthaber zu überzeugen, daß es auf die Dauer aber auch für eine große Nation unmöglich, weil unwürdig ist, fortgesetzt zusehen zu müssen, wie Menschen gleicher Volkszugehörigkeit nur wegen ihrer Abstammung oder ihres Bekenntnisses zu diesem Volkstum oder wegen ihrer Verbundenheit mit einer Idee unterdrückt, verfolgt und eingekerkert werden. Ueber 40.000 Flüchtlinge hat allein Deutschland bei sich aufnehmen müssen. 10.000 andere sind in diesem kleinen Lande durch die Gefängnisse, Kerker und Anhaltelager gewandert. Hunderttausende sind an den Bettelstab gebracht worden, sind verelendet und verarmt. Keine Nation der Welt würde auf die Dauer diese Zustände an der Grenze dulden können, außer sie verdiente es nicht anders, als selbst mißhandelt zu werden.

Ich habe mich im Jahre 1936 bemüht, irgendeinen Weg zu finden, der die Aussicht bieten konnte, die Tragik des Schicksals dieses deutschen Bruderlandes zu mildern, um so vielleicht zu einer wirklichen Aussöhnung gelangen zu können. Das Abkommen vom 11. Juli wurde aber nur unterzeichnet, um im nächsten Augenblick schon wieder gebrochen zu werden. Die Rechtlosigkeit der überwiegenden Mehrheit war geblieben. Ihre unwürdige Stellung als Paria in diesem Staate wurde in nichts behoben. Wer sich zum deutschen Volkstum offen bekannte, blieb verfolgt, gleich ob er ein nationalsozialistischer Straßenarbeiter oder ein alter verdienstvoller Heerführer des Weltkrieges war.

Ich habe nun noch ein zweites Mal versucht, eine Verständigung herbeizuführen. Ich bemühte mich, dem Repräsentanten dieses Regimes, der mir selbst als dem vom deutschen Volke gewählten Führer ohne jede eigene Legitimation gegenüberstand, ich bemühte mich, ihm verständlich zu machen, daß dieser Zustand auf die Dauer unhaltbar sein würde, da die steigende Empörung des österreichischen Volkes nicht mit steigender Gewalt ewig niedergehalten werden könnte, daß von einem gewissen Augenblicke an es auch für das Reich untragbar sein würde, einer solchen Vergewaltigung noch lange stillschweigend zuzuschauen. Denn wenn heute schon koloniale Lösungen von Fragen des Selbstbestimmungsrechtes der davon betroffenen niederen Völkerschaften abhängig gemacht werden, dann ist es unerträglich, daß sechseinhalb Millionen Angehörige eines alten und großen Kulturvolkes durch die Art eines Regimes praktisch unter diesen Rechten gewertet werden. Ich wollte daher in einem neuen Abkommen erreichen, daß in diesem Lande allen Deutschen das gleiche Recht zugewiesen und die gleichen Pflichten auferlegt würden. Es sollte diese Abmachung eine Erfüllung sein des Vertrages vom 11. Juli 1936.

Wenige Wochen später mußten wir leider feststellen, daß die Männer der damaligen österreichischen Regierung nicht daran dachten, dieses Abkommen sinngemäß zu erfüllen. Um aber für ihre fortgesetzten Verletzungen der gleichen Rechte der österreichischen Deutschen sich ein Alibi zu verschaffen, wurde nun ein Volksbegehren ersonnen, das bestimmt war, die Mehrheit dieses Landes endgültig zu entrechten. Die Modalitäten dieses Vorganges sollten einmalig sein. Ein Land, das seit vielen Jahren überhaupt keine Wahlen gehabt hat, dem alle Unterlagen für die Erfassung der Wahlberechtigten fehlen, schreibt eine Wahl aus, die innerhalb von knappen dreieinhalb Tagen stattfinden soll. Es gibt keine Wählerlisten, es gibt keine Wahlkarte, es gibt keine Einsichtnahme in die Wahlberechtigung, es gibt keine Verpflichtung zur Geheimhaltung des Wahlaktes, es gibt keine Sicherung für die Auszählung der Stimmen usw.

Wenn dies die Methoden sind, um einem Regime eine Garantie der Legalität zu geben, dann waren wir Nationalsozialisten im Deutschen Reich fünfzehn Jahre lang nur Narren gewesen. Durch hundert Wahlkämpfe sind wir gegangen und haben uns mühselig die Zustimmung des deutschen Volkes erobert. Als mich der verewigte Herr Reichspräsident endlich zur Regierung berief, war ich der Führer der weitaus stärksten Partei im Reiche. Ich habe seitdem immer wieder versucht, mir die Legalität meines Daseins und meines Handelns vom deutschen Volke bestätigen zu lassen und sie wurde mir bestätigt. Wenn dies aber die richtigen Methoden sind, die Herr Schuschnigg anwenden wollte, dann war auch die Abstimmung im Saargebiet nur eine Schikane eines Volkes, dem man die Heimkehr in das Reich erschweren wollte. Wir sind hier aber einer anderen Meinung. Ich glaube, wir dürfen alle stolz darauf sein, daß wir gerade auch anläßlich dieser Abstimmung im Saargebiet in so unanfechtbarer Weise vom deutschen Volk das Vertrauen erhalten haben.

Gegen diesen einzig dastehenden Versuch eines Wahlbetruges hat sich endlich das deutsche Volk in Oesterreich selbst erhoben. Wenn aber diesesmal das Regime es nun wieder beabsichtigte, mit brachialen Mitteln die Protestbewegung einfach niederzuschlagen, dann konnte das Ergebnis nur ein neuer Bürgerkrieg sein. Das Deutsche Reich duldet es aber nicht, daß in diesem Gebiet von jetzt an noch Deutsche verfolgt werden wegen ihrer Zugehörigkeit zu unserer Nation oder ihrem Bekenntnis zu bestimmten Auffassungen. Es will Ruhe und Ordnung.

Ödön von Horváth zu Ulrich Becher

Ich übereil nix.
Wenn sie hier sind
und mich fangen wollen,
schwimm ich nachts
ein bissl durch die Thaya.

Der Kanzler begrüßt den Führer

Der Jubel war so ungeheuer, daß es dem österreichischen Bundeskanzler Dr. Seyß-Inquart erst nach langer Zeit gelang, das Wort zu folgender Begrüßungsansprache zu ergreifen:

Mein Führer!

In einem für das deutsche Volk und in seinen Fernwirkungen für die Gestaltung der europäischen Geschichte bedeutsamen Augenblick begrüße ich und mit mir die ganze Heimat, Sie, mein Führer und Reichskanzler zum erstenmal wieder in Österreich! (Heil- und Sieg Heil-Rufe, Sprechchor: Wir danken unsevem Führer!) Die Zeit ist da, in der trotz Friedensdiktat Zwang, Mißgunst und Unverständnis einer ganzen Welt endgültig Deutsche zu Deutschen gefunden haben. (Jubelnde Zustimmung.) Heute steht das deutsche Volk einmütig und endgültig zusammen, um jeden Kampf, jedes Leid als ein Volk zu bestehen. (Neuerliche Heilrufe. Sprechchor: Ein Volk, ein Reich, eiu Führer! Die SA grüßt den Führer.) Der Weg war schwer, hart und opfervoll. Er führte über die erschütterndste Niederlage des deutschen Volkes, aber gerade aus dieser brach die große herrliche Idee der unteilbaren Schicksalsgemeinschaft, das Bewußtsein des einen lebendigen Volkes, die Idee des Nationalsozialismus. (Stürmische Heilrufe.)

Sie, mein Führer, haben Volksnot und Volksleid als Sohn dieser Grenzmark erfahren. Aus diesem Wissen erwuchs in Ihnen der große Gedanke, alles einzusetzen, um das deutsche Volk aus dieser seiner schwersten Niederlage herauszuführen. Sie haben es herausgeführt. Sie sind der Führer der deutschen Nation im Kampf um Ehre, Freiheit und Recht. (Heilrufe.) Jetzt haben wir Österreicher uns für alle Zeit frei und offen, deutsch und unabhängig zu dieser Führung bekannt. (Neuerliche Heilrufe), indem wir zugleich in feierlicher Weise den Artikel 88 des Friedensvertrages als unwirksam erklären. (Brausende, nicht endenwollende Heilrufe.) Des Reiches gewaltige Wehr rückt unter dem Jubel Österreichs in unser Land. Deutsche Soldaten begrüßen österreichische Gaue, nicht uns zum Trutz, sondern zur klaren und endgültigen Bestätigung, daß das deutsche Volk in seincr Gesamtheit eingetreten ist, um deutsches Reich vor aller Welt zu sichern und für alle Zeit zu schützen. (Sieg-Heil-Rufe.) Das volksdeutsche Reich der Ordnung, des Friedens und der Freiheit der Völker ist unser Ziel und wir stehen an der Schwelle seires Anbruches und Adolf Hitler ist sein Führer!

Mein Führer! Wir Österreicher danken Ihnen. Ich kann nur schlicht als einfacher Mann, aber aus dem Herzen von Millionen Österreichern sagen: Wir danken Ihnen! Wir haben immer mit Ihnen gekämpft in der Bestimmung und der Haltung, die uns in dieser Grenzmark zukommt, ausdauernd bis zur äußersten Duldung. Ich glaube, wir haben bis zuletzt einen guten Kampf geführt. Jetzt **grüßen wir** Sie mit dem Jubel aller deutschen Herzen. **Heil** mein Führer! (Langanhaltender Jubel und Beifall.)

Bundespolizeidirektion Wien
Zentralmeldeamt

Zahl: III/Ge/H/656/M/71/Ot

Wien, am 30. November 1971

An die
Dokumentationsstelle für ne[u]
österreichische Liter[atur]
Wien 6,

Meldebestätigung

(Stempelmarke) Zeugnisstempel

______ S Verwaltungsabgabe entrichtet.

Es wird bestätigt, daß über

Herrn ~~Frau~~ Ödön von HORVARTH

geboren am 9.12.1901 in Fiume/Italien

im Zentralmeldeamt der Bundespolizeidirektion Wien nachstehende Meldungen erliegen:

Gemeldet vom	bis	Angegebene frühere Unterkunft	Gemeldete Unterkunft	Abgemeldet nach
26.5. 1919	-----	München	1, Rathausstraße 17/6	ohne Abmeldung
18.3. 1920	22.6. 1920	München	8, Langegasse 49/6	München
13.5. 1931	21.5. 1931	Murnau/Bayern	8, Langegasse 49/6	München
22.6. 1931	14.7. 1931	Murnau/Bayern	8, Langegasse 49/6	Berlin
18.4. 1933	3.6. 1933	St. Wolfgang	1, Kärntner Ring 1-7 Hotel	unbekannt
6.9. 1933	16.9. 1933	Bad Vöslau	1, Kärntner Ring 1-7 Hotel	unbekannt
18.9. 1933	9.12. 1933	Kärntner Ring 1-7 (Hotel)	1, Opernring 11/4/50	Budapest
14.12. 1933	9.1. 1934	Budapest	1, Kärntner Ring 1-7 Hotel	unbekannt
8.2. 1934	12.3. 1934	Murnau/Bayern	1, Kärntner Ring 1-7 Hotel	unbekannt

M. Nr. 21. – Amtsdruckerei der Bundespolizeidirektion Wien ./.

20.9. 1935	21.9. 1935	Berlin	9, Dollfußplatz 16 Hotel	unbekannt
20.9. 1935	2.12. 1935	Hotel Regina	18, Bastiengasse 56/2	unbekannt
3.12. 1935	16.1. 1936	Bastiengasse 56	1, Marc Aurel Straße 9/1/3/12	unbekannt
16.1. 1936	13.7. 1937	Marc Aurel Straße 9	1, Dominikanerbastei 6/4/11	Deutschland
15.2. 1938	12.3. 1938	Schärding a/Inn	9, Währinger Straße 33 Hotel	unbekannt

Budapest am 23. 3. 1938

Mein lieber guter Csok, dank Dir tausendmal für Deine Karte! Ich bin riesig froh, daß Du in Polen bist! Gott, was sind das für Zeiten! Die Welt ist voll Unruhe, alles drunter und drüber, und doch weiß man nichts Gewisses! Man müßte ein Nestroy sein, um all das definieren zu können, was einem undefiniert im Wege steht! Die Hauptsache, lieber guter Freund, ist: Arbeiten! Und nochmals Arbeiten! Und wieder: Arbeiten! Unser Leben ist Arbeit – ohne ihr haben wir kein Leben mehr.
Es ist gleichgültig, ob wir den Sieg oder auch nur die Beachtung unserer Arbeit erfahren, es ist völlig gleichgültig, solange unsere Arbeit der Wahrheit und Gerechtigkeit geweiht bleibt. Solange gehen wir auch nicht unter, solange werden wir immer Freunde haben und immer eine Heimat, überall eine Heimat, denn wir tragen sie mit uns – unsere Heimat ist der Geist. Der Geist, der nichts zu tun hat mit den blöden Schlagworten von Blut und Boden, dieser abwegigen nordischen Erscheinung, dieser Reaktion auf eine Überschätzung des »Asphalts«. Woher kam dieser »Asphalt«? Ein Produkt des Großbürgertums. Aber es wäre ein lächerlicher, erbärmlicher Geist, der mit irgendeiner Kaste auch nur irgendetwas zu tun hätt! Ich weiß Du denkst wie ich. Sei gegrüßt mein lieber Freund! Wir sehen uns bald wieder! – Ich umarme Dich – Dein Ödön

Budapest am 29.3.1938

Mein liebster, bester Freund. Danke Dir für Deine zweite Karte – hast Du meinen Brief erhalten? – Du erwähnst nichts davon, drum schick ich Dir diesen eingeschrieben. Ich bin sehr froh, daß Du in Polen bist. Morgen fahre ich nach der CSR und zwar nach Teplitz-Schönau.
Wie lange ich dort bleibe, weiß ich noch nicht. Ich habe mir auf alle Fälle das polnische Visum geben lassen und vielleicht werde ich Dich in Chorzow besuchen können. Das wäre wunderschön! (Übrigens, daß ich nicht vergesse, Hatvanys lassen Dich herzlichst grüßen, es sind wirklich rührend gute Menschen) – Von Prag will ich allerhöchstwahrscheinlich nach Amsterdam fliegen, da gibt es ein direktes Flugzeug. . . .
Lieber Csok, laß bald, sehr bald etwas von Dir hören und sei herzlichst umarmt von Deinem Ödön

Teplice-Šanov am 15. April 1938

Mein lieber guter Csok, bester Freund – ich wollte Dir auch die ganze Zeit über schreiben und immer wieder hoffte ich, Dir schreiben zu können, daß ich Dich besuchen werde, aber leider, leider geht das nun nicht. Ich kann jetzt nicht kommen, muß hier bleiben und fahre Ende nächster Woche nach Zürich und Amsterdam, über Budapest, Jugoslawien und Milano. Jaja, die Welt wird immer größer – Mein lieber guter Csok, ich kann es Dir absolut nachfühlen, daß Du vorerst in Polen bleiben willst. Für uns alle kommt es ja erst in zweiter oder dritter (manchmal auch in letzter) Hinsicht in Frage, wo wir sitzen, die Hauptsache ist, daß wir arbeiten können. Und man soll immer weiter sein Zeug machen, das ist das einzig richtige und dann wirds auch richtig. . .
Aus Wien höre ich nichts, das heißt, nichts direktes, nur was in den Zeitungen steht. Es ist nichts Schönes, mein Gott!. . .
Wo ich landen werde weiß ich noch nicht. Am liebsten würde ich in die französische Schweiz fahren oder in Frankreich irgendwo in der Nähe von Genf am Alpenrand sitzen. Ich hab ein neues großes Buch vor.
Liebster bester Csok, alles, alles Gute zu Ostern!
Sei innigst umarmt von Deinem Ödön

Amsterdam am 23. 5. 1938

Mein lieber Csok, nun bin ich hier seit einer Woche und bleibe noch bis Freitag abend, dann fahre ich nach Paris auf 4–5 Tage und von dort wieder nach der Schweiz zurück. Ich werde den Sommer über in der Schweiz bleiben, in einem kleinen Dorf, und werde dort arbeiten. Mein lieber Csok, ich schreib Dir dann noch genauestens meine Adresse. . . .

Laß bald von Dir hören und sei herzlichst und innigst umarmt von Deinem Ödön

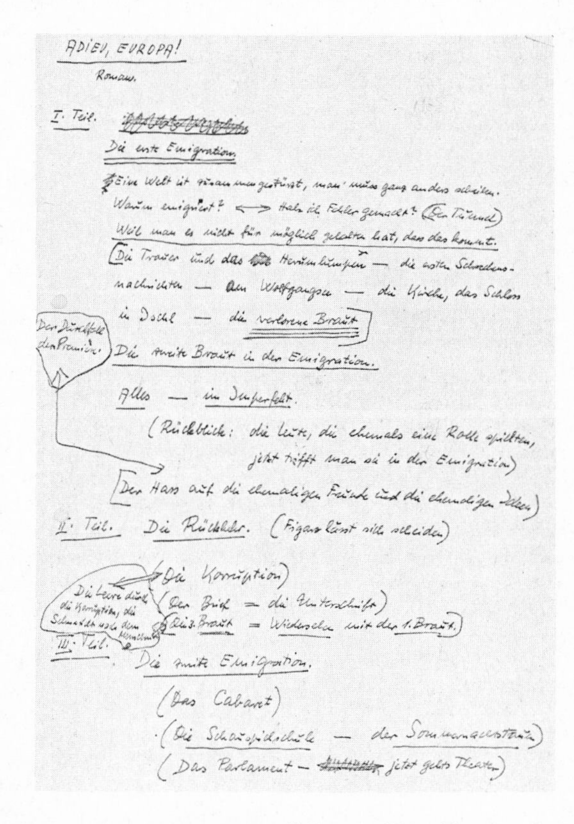

ADIEU, EUROPA!
Roman.

I. Teil. ~~[illegible]~~
Die erste Emigration
Eine Welt ist zusammengestürzt, man muss ganz anders schreiben.
Warum emigriert? ⟷ Habe ich Fehler gemacht? ([illegible])
Weil man es nicht für möglich gehalten hat, dass das kommt.
Die Trauer und das Herumlumpen — die ersten Schreckensnachrichten — am Wolfgangsee — die Kirche, das Schloss in Ischl — die verlorene Braut
Die zweite Braut in der Emigration.
Der Durchfall der Prämisse.
Alles — im Imperfekt.
(Rückblick: die Leute, die ehemals eine Rolle spielten, jetzt trifft man sie in der Emigration)
Der Hass auf die ehemaligen Freunde und die ehemaligen Ideen)

II. Teil. Die Rückkehr. (Figaro lässt sich scheiden)
Die Korruption)
(Der Brief = die Unterschrift)
(Die 3. Braut = Wiedersehen mit der 1. Braut.)
Die Lehre durch die Korruption, die Schwächen und dem Menschen

III. Teil. Die zweite Emigration.
(Das Cabaret)
(Die Schauspielschule — der Sommeraufenthalt)
(Das Parlament — ~~[illegible]~~ jetzt gehts Theater)

Konzept des letzten Romans von Ödön von Horváth

PARIS – Perspective sur les Tuileries et l'Arc de Triomphe de l'Etoile.

« Les Editions d'Art YVON » – Paris, 15, Rue Martel
Reproduction Interdite – Fabrication Française

« IMAGES DE PARIS » 85

Herrn Lajos von Horváth
Hotel goldener Sternen
Bellevueplatz
Zürich
(La Suisse)

Paris, 30. Mai 36

Lieber Luc, danke Dir herzlichst für Deine Karte, es tut mir sehr leid, dass ich jetzt nicht in Zürich sein kann, um Dich zu sehen und sprechen! Ich bin erst zu Pfingsten da. Die Wera wirst Du inzwischen schon getroffen haben und sprich auch mit dem Uli Becher!

Sei herzlichst gegrüsst und geküsst von

Die letzte Karte Ödön von Horváths

1938: Ödön von Horváth

7307 - 1164

décès

RÉPUBLIQUE FRANÇAISE

Extrait des minutes des actes de décès du 17e Arrondissement

Année 1938

de Horvath

le premier juin mil neuf cent trente-huit, vers dix-neuf heures trente, est décédé 19, rue d'Armaillé, Edmond de HORVATH, domicilié 63, rue Monsieur le Prince, né à Fiume (Hongrie) le neuf décembre mil neuf cent un, écrivain, fils de Edmond de HOVARTH et de Marie PREHNAL, époux, sans profession, domiciliés à Munich (Allemagne) Divorcé de: sans autres renseignements connus du déclarant) Dressé le quatre Juin mil neuf cent trente-huit, neuf heures dix, sur la déclaration de Maurice Gozard, trente-huit ans, employé, 19, rue d'Armaillé, qui, lecture faite a signé avec Nous, Jules Henri LECLERC- Adjoint au Maire du 17e arrondissement de Paris, Chevalier de la ~~Légion~~ Légion d'Honneur./.

Neuf francs 35cm

Pour copie conforme

Paris, le vingt-sept Juillet mil neuf cent trente-huit

Le Maire,

approuvé la rature d'un mot nul./.

Le Maire,

Totenschein Ödön von Horváths

Beglaubigte Uebersetzung aus dem Französischen.

Stempelpapier zu Fr. 8.10 - - de Horvath - - Neun Francs 35cm

T o t e n s c h e i n.

Französische Republik - Freiheit - Gleichheit - Brüderlichkeit - - Präfektur des Bezirkes Seine - - Auszug aus den Sterberegisterakten des XVII.Bezirkes - - - - - Jahr 1938 - - - -

Am ersten Juni eintausendneunhundertachtunddreissig gegen neunzehn Uhr dreissig, ist im Hause rue d'Armaillé 19 Edmond de H o r v a t h, wohnhaft hier, rue Monsieur le Prince 63 gebürtig aus Fiume (Ungarn), geboren am neunten Dezember eintausendneunhunderteins, Schriftsteller, Sohn der Ehegatten Edmond de Horvath und der Marie Prehnal, wohnhaft in München (Deutschland), gestorben. Er war gerichtlich geschieden. (Näheres hierüber ist dem Einschreiter nicht bekannt). - - -

Aufgenommen am vierten Juni eintausendneunhundertachtunddreissig um neun Uhr zehn, über die Anzeige des Maurice Gozard, achtunddreissig Jahre alt, Angestellter, wohnhaft hier, rue d'Armaillé 19 der nach Verlesung des Aktes mit mir, Jules Henri Leclerc, Beigeordnetem des Bürgermeisters für den XVII.Bezirk von Paris, Ritter der Ehrenlegion, unterschrieben hat. -

Für die Richtigkeit der Abschrift.- Paris, am siebenundzwanzigsten Juli eintausendneunhundertachtunddreissig.- - Der Bürgermeister: Unterschrift unleserlich.- (L.S.) - - Ein Wort ausgebessert.- Der Bürgermeister :

(L.S.) - - - - Unterschrift unleserlich.-

ÖSTERREICHISCHE STEMPELMARKE 4 SCHILLING

Unter Hinweis auf meinen Amtseid bestätige ich die genaue Uebereinstimmung der vorstehenden Uebersetzung aus dem Französischen mit dem angehefteten Text.
Wien, am 30.Juni 1950

Dr. Eduard Hofmann

beeideter Gerichtsdolmetsch für die französische Sprache

DR. EDUARD HOFMANN beeideter Gerichtsdolmetsch für Französisch u. Spanisch

HOTEL DE L'UNIVERS
63, RUE MONSIEUR-LE-PRINCE
PARIS-VI
(près du Luxembourg)
TÉLÉPH. : DANTON 97-66

4. Juni 38

Liebe Frau Baronin,

Sie werden aus den Zeitungen wissen, welch schreckliches Unglück uns getroffen hat. Mein armer Bruder wurde am 1. Juni in den Champs Elysées von einem stürzenden Baum getroffen und war sofort tot. Er liegt in der Klinik Paul Marmottan, rue d'Armaillé. Am Dienstag, den 7. ds findet die Feuerbestattung in Père Lachaise statt.

Er hatte gerade d[…] vielen grosse Erfolge, […] Buch wurde in Amsterdam […] und er soll so heiter und glücklich gewesen sein wie noch nie.

In seiner Brieftasche fand ich noch ein Couvert, das an Sie adressiert war, sicherlich wollte er noch einen Brief an Sie schreiben.

Ich kenne Ihre augenblickliche Adresse nicht und sende diesen Brief nach Budapest.

Bitte richten Sie dem Herrn Gemahl meine ergebensten Empfehlungen aus. Ich weiss wie mein Bruder Sie hochgeschätzt hat und werde die schöne Zeit die ich bei Ihnen verbringen konnte nicht vergessen. Ich habe damals meinen Ödön das letztemal gesehen.

Mit Handkuss und ergebenen Grüssen

Ihr

Lajos v. Horváth

Brief Lajos von Horváths an die Baronin Hatvany

Lajos von Horváth

Liebe Frau Baronin,

Sie werden aus den Zeitungen wissen, welch schreckliches Unglück uns getroffen hat. Mein armer Bruder wurde am 1. Juni in den Champs Elysées von einem stürzenden Baum getroffen und war sofort tot.
Er liegt in der Klinik Paul Marmottan, Rue d'Armillié. Am Dienstag, den 9. ds. findet die Feuerbestattung im Père Lachaise statt.
Er hatte gerade die letzten Wochen große Erfolge, sein drittes Buch wurde in Amsterdam angenommen und er soll so heiter und glücklich gewesen sein wie noch nie.
In seiner Brieftasche fand ich noch ein Couvert, das an Sie adressiert war, sicherlich wollte er noch einen Brief an Sie schreiben. Ich kenne Ihre augenblickliche Adresse nicht und richte diesen Brief nach Budapest.
Bitte richten Sie dem Herrn Gemahl meine ergebensten Empfehlungen aus. Ich weiß wie mein Bruder Sie hochgeschätzt hat und werde die schöne Zeit die ich bei Ihnen verbringen konnte nicht vergessen. Ich habe damals meinen Ödön das letztemal gesehen.
Mit Handkuß und ergebenem Gruß Ihr Lajos von Horváth

Theater und Zeit

4. Jahrgang · Nr. 7 · März 1957

Hans Weigel

AUFFORDERUNG, ÖDÖN VON HORVATH ZU SPIELEN

Kein Anlaß, wie ihn die Redaktionen schätzen, liegt vor, Ödön von Horváths zu gedenken, kein durch fünf oder zehn teilbares Lebensalter, kein entsprechend runder Todestag. Daß man kürzlich in Wien eines seiner Stücke aufgeführt hat, bewegt die Fernschreiber nicht und schlägt nicht die Wellen, wie ein neuer Eliot, Williams, Zuckmayer oder Anouilh sie bewegen und zu schlagen pflegt. Ödön von Horváth wird keiner Schlagzeilen im Kulturteil unserer Presse für würdig erachtet, und gerade darum muß man über ihn schreiben, außer der Reihe und gegen die Aktualität, denn er ist ihrer in hohem Maße würdig. Wer ihn kennt und liebt, muß die Nachwelt zu seinem und ihrem besten für ihn erschließen.

Welch eine gedankenlose und desorientierte Zeit, die nach den Dramatikern dieses Jahrhunderts schreit und an einem der wesentlichsten vorbeigeht! Welch eine Zeit auch, in der es möglich ist, daß einer 1931 den Kleistpreis erhielt (Zuckmayer: „Es ist anzunehmen, daß er der dramatischen Kunst, die immer und ohne Einschränkung eine Kunst der Menschen- und Wortgestaltung bleibt, neue lebensvolle Werte zuführen wird") und 1933 von der deutschen Bildfläche verschwand, nach 1945 nicht wieder erweckt, neu entdeckt, zum unverlierbaren Besitz der deutschen Bühne gemacht wurde!

Es ist nun allerdings so, daß er sich nicht ohne weiteres erschließt, daß er vor allem Dramaturgen und Regisseuren viel aufzulösen gibt. Denn er ist ein Dichter, ein verschämter noch dazu, der's nicht merken läßt. (Werfel: „In Horváths Blick, der seine Menschen so lieblos, so dürr, so armselig sah, lag eine merkwürdige sanfte Ruhe. Es war ein erbarmungsloser Blick, aber ein Blick von oben.") Er sprengt jedes Schubfach, in das man ihn einzuordnen versucht. Gäbe es den Begriff „Volksstück" noch nicht, könnte man ihn für Ödön von Horváths Dramen einführen. Doch mit dem, was zwischen dem „Vierten Gebot" und „Krach im Hinterhaus" bereits vorliegt, haben sie nichts gemein. Nicht einmal den Dialekt; denn es ist eine der Besonderheiten dieses Dramatikers, daß er die Sprache souverän als Instrument einsetzt, die Figuren jenseits aller Wirklichkeitstreue, im Mittelalter neben historisierenden Wendungen gelegentlich das heutige Vokabular gebrauchend, „das Volk" oft innerhalb einer Szene einmal hochdeutsch, einmal bodenständig, auch Franzosen gelegentlich wienerisch reden läßt. Damit hebt er die Vorgänge aus der Vordergründigkeit in die Zeitlosigkeit, doch auf den ersten Blick scheint es sprunghaft und inkonsequent. Wie das Idiom wechselt auch der Stil, und jede Situation schafft sich den ihr gemäßen Ausdruck, so stehen derbe Komik unvermittelt neben inniger Dichtung, böse Satire neben naiver Legende. Das ist genialisch, aber unbequem.

Horváth muß immer provozieren, denn er ist ein großer Moralist, ist somit ein mitleidender, weil ehrlicher Zeitgenosse der Dreißigerjahre dieses Jahrhunderts. Er gehört ganz und gar in den österreichischen Sektor des Inferno; dies dient den deutschen Dramaturgen als Ausrede, ihn links liegen zu lassen, Österreich andererseits aber erschrickt vor solchem Spiegel, als könnten optische Geräte ihr Objekt beschmutzen und nicht nur mit unbarmherziger Schärfe wiedergeben. Österreich verzeiht ihm die „Geschichten aus dem Wienerwald" nicht, die den landesüblichen Dreiviertel-Takt durch das meist totgeschwiegene vierte Viertel ergänzen.

Deutschland entdeckte ihn, Österreich beherbergte ihn fünf Jahre lang, dann starb er in Paris. Hektisch und eruptiv und gehetzt, als wüßte er, wie wenig Zeit ihm geblieben, holte er seine Stücke aus sich heraus, achtzehn an der Zahl, davon manches bis heute nicht gespielt. Nach einem jähen Aufstieg sank er in letzte Einsamkeit. (F. T. Csokor: „Seit Georg Büchner wurde kein so verheißungsvoller Aufbruch durch ein jähes Ende abgeschnitten.") Und immer wieder sind es Tod und Krieg, die ihn bedrängen. Er hat den letzten nicht mehr erlebt, aber es ist, als meinte er ihn in „Don Juan kommt aus dem Krieg", als hätte er prophetisch alles vorausgewußt und drum gar nicht mehr zu erleben gebraucht, die Emigration („Figaro läßt sich scheiden"), die „displaced persons" („Hin und her"). Er hat auch, im „Jüngsten Tag", die spätere Mode, Tote und Lebende gleichberechtigt nebeneinander auftreten zu lassen, vorweggenommen, er hat wieder den Teufel in unsere Welt eingeführt („Himmelwärts"), einen „armen Teufel" wie fast alle seine Gestalten; und sein letztes Werk war bezeichnenderweise die Komödie vom Vorabend eines Untergangs: „Pompeji" (für Uraufführung frei!).

Hundert Jahre vor ihm, fast auf den Tag genau, wurde Johann Nestroy geboren. Und als er gestorben war, dauerte es ein halbes Jahrhundert, ehe man die Größe hinter der Spaßmacherei, den Tiefsinn in der Vorstadtkomödie entdeckte. Horváth hat viele verwandte Züge mit Nestroy und ist auf sehr ähnliche Art zum Klassiker prädestiniert. Auch in seinen Dienstmädchen und Handlungsgehilfen, Bürokraten und Spießern ist Welt und dauerhafte theatralische Substanz, auch sein Werk, noch von keinem Verleger gesammelt, ist eine dichterisch heitere Abnormitätenschau menschlicher Existenz. Wird auch er unbillig lange auf seine Auferstehung warten müssen?

Es ist freilich, wie gesagt, nicht ganz einfach mit ihm. Den dritten oder vierten Horváth werden Publikum und Rezensenten gebührend würdigen und genießen; vor dem ersten und zweiten stehen sie einigermaßen ratlos (wie sie ja auch vor „Wie es euch gefällt" stünden, wenn sie nicht im voraus wüßten, daß ihnen Dichtung bevorsteht.) Sie wollen die Schubfächer, sie mögen es nicht, daß Ernstes mit Trivialem, Poesie mit Parodie, Realität und Phantasie miteinander vermengt werden. (Sie schweigen ja auch den Wedekind tot.) Spielt aber trotzdem den ersten und den zweiten Horváth, meine Herren Intendanten, setzt ihn durch um den dritten bis achtzehnten willen, ihr erobert dadurch ergiebiges Terrain für eure Spielpläne, und ihr werdet nicht nur von außerirdischen Instanzen belohnt werden, sondern auch mit Stolz sagen können: „Damals in den Fünfzigerjahren begab sich die Horváth-Renaissance, und ich bin dabeigewesen". Spielt Horváth mit aller Liebe und Sorgfalt, als hieße er nicht Ödön, sondern T. S. oder Tennessee, spielt ihn, weil er genau das ist, was er von dem Titelhelden eines seiner nachgelassenen Romane sagt: Ein Kind unserer Zeit. Spielt ihn auch um eurer Schauspieler willen, die eine Fülle herrlicher Rollen bei ihm finden, um eures Publikums willen, das bei ihm unter anderem auch lachen kann, was es doch so sehr liebt, spielt ihn aber vor allem um seinetwillen, der unsterblich sein müßte, wenn sich nur die eine Rede des ehemaligen Revolutionärs Figaro an die Findelkinder im einstmals gräflichen Schloß von ihm erhalten hätte, eine Botschaft an alle Welten nach Krieg und Umsturz, unserer Zeit mitten ins Herz gesagt:

> „Ich sage euch, wenn ihr mal den Grafen Almaviva treffen solltet, dann müßt ihr ihn anständig grüßen, höflich und artig sein, denn er ist ein alter Mann und ihr seid's Lausbuben, und wenn er ein Verbrechen begangen hat, dann wird er nicht auf euch warten, um bestraft zu werden. Und überhaupt: Ihr wollt einen Menschen so mir nix dir nix erschießen und lebenslänglich einsperren? Was hat er euch denn getan, dir und dir? Schämt's euch denn nicht! Gebt acht, vielleicht, wenn ihr alt sein werdet, wird's heißen, ein jedes Findelkind ist ein Verbrecher, und es wird nur Grafen geben, und die Grafen werden die Findelkinder einsperren und erschießen."

1945 Der jüngste Tag

7.12.1945: Theater in der Josefstadt in Wien
mit Maria Andergast als Anna und Hans Holt als Hudetz
Regie: Rudolf Steinböck

Seite 8 — Wien, Samstag — WELTPRESSE — 15. Dezember 1945

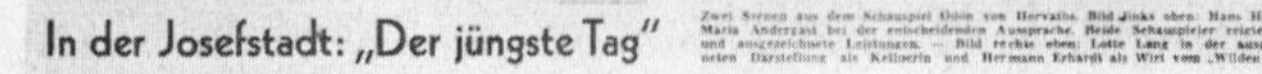

In der Josefstadt: „Der jüngste Tag"

Zwei Szenen aus dem Schauspiel Odön von Horvaths. Bild links oben: Hans Holt und Maria Andergast bei der entscheidenden Aussprache. Beide Schauspieler zeigten reife und ausgezeichnete Leistungen. — Bild rechts oben: Lotte Lang in der ausgezeichneten Darstellung als Kellnerin und Hermann Erhardt als Wirt vom „Wilden Mann"

1947	München	1966	Ingolstadt
1951	Wien	1968	Konstanz
1960	Hannover	1969	Wien
	Aachen	1970	Hof
	Österreichisches Fernsehen		München
1961	Deutsches Fernsehen		Luzern
1962	Regensburg		und
1964	Frankfurt		Flämisches Fernsehen
	Celle		
	Heidelberg		

.946 Hin und her

5. 9. 1946: Theater in der Josefstadt (Kleines Haus) in Wien
mit Ernst Waldbrunn als Havlicek und Hans Ziegler als Regierungschef X und Franz Böheim als Grenzorgan Mrschitzka
Regie: Christian Möller

1953 Graz
1960 Wien
1963 Deutsches Fernsehen
1966 Wiesbaden
Flensburg
1970 Wien
und
Ungarisches Fernsehen

1947 Figaro läßt sich scheiden

29. 4. 1947: Theater in der Josefstadt (Kleines Haus) in Wien mit Maria Andergast als Susanne und Harry Fuss als Figaro
Regie: Alfred Ibach

Susanne: Ich hasse diese Spießer!
Figaro: Wir leben von diesen Spießern, ob du sie liebst oder haßt!

1960	Salzburg	1969	Plzen
	Göttingen		Krefeld
1965	Bielefeld	1970	Wuppertal
	St. Gallen		Česky Tešín
	Baden		Brno
	Zweites Deutsches Fernsehen	1971	Luzern
1966	Würzburg		Baden-Baden
1967	Wien		Berlin
			Hannover

Szenenfoto der Salzburger Festspiele 1970

Figaro: Herr Graf, ich habe in meinem Leben schon so oft immer hungern müssen, daß das Wort »bürgerlich« für mich seine Schrecken verloren hat.
Gräfin: Ach, schon zurück vom Casino? Nun, was haben wir heute verloren?
Graf: Figaro und Susanne.

1948 Geschichten aus dem Wiener Wald

1. 12. 1948: Volkstheater in Wien
mit Inge Konradi als Marianne, Harry Fuss als Alfred und Kar
Skraup als Zauberkönig
Regie: Hans Jungbauer

26. 4. 1968: Volkstheater in Wien
mit Jutta Schwarz als Marianne, Bernhard Hall als Alfred un
Helmut Qualtinger als Zauberkönig
Regie: Gustav Manker

Jetzt bilden sie gerade eine malerische Gruppe, denn sie wollen von Oskar fotografiert werden, der sich noch mit seinem Stativ beschäftigt – dann stellt er sich selbst in Positur neben Marianne, maßen er ja mit einem Selbstauslöser arbeitet.

21. 4. 1967: Schiller-Theater in Berlin
Marion Marlon als Ida
Regie: Max P. Amann

Ida, jenes magere, herzige, kurzsichtige Mäderl, das seinerzeit Havlitscheks Blutwurst beanstandet hatte, tritt nun weißgekleidet mit einem Blumenstrauß vor das verlobte Paar und rezitiert mit einem Sprachfehler: Die Liebe ist ein Edelstein, / Sie brennt jahraus, sie brennt jahrein / Und kann sich nicht verzehren, / Sie brennt, solang noch Himmelslicht / In eines Menschen Aug sich bricht, / Um drin sich zu verklären.

11. 1. 1971: Düsseldorfer Schauspielhaus
mit Wolfgang Reinbacher als Oskar, Veronika Bayer als Marianne, Alexander Wagner als Alfred und Hans Thimig als Zauberkönig. Regie: Hans Hollmann

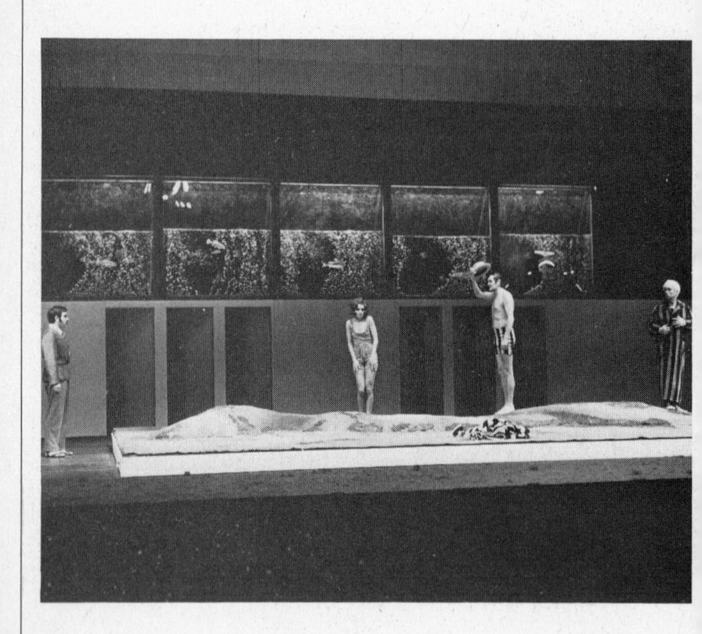

Marianne: – Nein, ich heirat dich nicht, ich heirat dich nicht, ich heirat dich nicht! Meinetwegen soll unsere Puppenklinik verrecken, eher heut als morgen!

Zauberkönig: Das einzige Kind! Das werd ich mir merken!

Oskar: Mariann, ich wünsch dir nie, daß du das durchmachen sollst, was jetzt in mir vorgeht – und ich werde dich auch noch weiter lieben, du entgehst mir nicht – und ich danke dir für alles.

25. 6. 1970: Nová Scéna Činohra

nová scéna
Nositeľ Radu práce
ČINOHRA
Rozprávky z Viedenského lesa
&
Ľudová hra v piatich dejstvách
Napísal: Ödön von Horváth
Preklad: Dalibor Heger
Texty piesní: Boris Droppa
Scénická hudba: Milan Dubovský
Réžia: Oto Katuša
Scéna: Štefan Hudák a. h.
Kostýmy: Stanislava Vaničková
Premiéra: 25. júna 70

1961 Österreichisches Fernsehen
1964 Zürich
Deutsches Fernsehen
1966 Basel
München
1968 Praha
Wien
Hannover
1969 Hamburg
Klagenfurt
Nürnberg
Cheb
1970 Salzburg
Bratislava
Brno
Česky Tešín
1971 Ulm
Pardubice
Budapest
Kolín
Bukarest
1972 Berlin
Hamburg

1949 Die Unbekannte aus der Seine

2. 12. 1949: Uraufführung im Studio in der Kolingasse in Wien mit Lona Dubois als Unbekannte, Kurt Radlecker als Albert, Hanna Wihan als Irene, Herbert Fuchs als Emil u. a.
Regie: Kurt Radlecker

1953 Wien
1962 Wien
Frankfurt
1963 Sydney
1968 Deutsches Fernsehen
1971 Luzern

24. 10. 1970: Volkstheater in Wien
mit Kitty Speiser als Unbekannte und Eugen Stark als Albert
Regie: Gustav Manker

Unbekannte: – Sag mal, sieht man es mir eigentlich an, was ich schon hinter mir habe? Ich hab mal einen geliebt, es hat weh getan und gut. Josef hat er geheißen.

Albert: Ich dachte schon, du hättest noch niemals.

Unbekannte: Josef, wo bist du? – Jetzt seh ich dich wie durch Glas. Und ich stehe hinter dem Glas, und jetzt hörst du nicht, was ich rede. – Du bist es? Bist wieder da? Ich hab so lang auf dich gewartet und war so viel allein. – Nein! Komm nicht herein zu mir, bitte nicht – laß mich, du, laß mich –

1950 Himmelwärts

1. 1. 1950: Kleines Theater im Konzerthaus in Wien
in einer Bearbeitung Frank von Zeskas

9. 4. 1953: Uraufführung der Originalfassung im Kleinen Theater im Konzerthaus in Wien
mit Trude Pöschl als Luise, Kurt Sowinetz als Hilfsregisseur, Hugo Gottschlich als Teufel, Michael Kehlmann als Intendant u. a.
Regie: Harry Glück

1953 Göttingen

1950 Kasimir und Karoline

KLEINES THEATER IM KONZERTHAUS
Kasimir und Karoline
Volksstück von Ödön v. Horvath
Ab 16. Oktober 1950 täglich 19³⁰ Uhr
Regie: Michael Kehlmann
Bühnenbild: Lajos v. Horvath
Mit: Susi Peter, Trude Pöschl, Wolf Neuber, Harry Glöckner u. a. m

Plakat der ersten Nachkriegsaufführung von »Kasimir und Karoline«

1952 München
1959 Deutsches Fernsehen
1964 Berlin
Wuppertal
Wien
1966 Göttingen
1967 Frankfurt
1968 Castrop-Rauxel
1969 München
Karl-Marx-Stadt
Graz
Upsala
Dortmund
1970 Saarbrücken
Bregenz
Stockholm
1971 Hannover
Hamburg
Vincennes
Helsinki
1972 Stuttgart

Neue Blätter
des Theaters in der Josefstadt

Direktion Franz Stoß – Spielzeit 1964/65 – 4

Und die Liebe höret nimmer auf

KASIMIR UND KAROLINE

Ein Volksstück in neun Bildern von Odön von Horvath

Inszenierung	Otto Schenk
Bühnenbilder	Günther Schneider-Siemssen
Kostüme	Hill Reihs-Gromes

Kasimir	Alfred Böhm
Karoline	Eva Kerbler
Rauch	Erik Frey
Speer	Carl Bosse
Der Ausrufer	Rudolf Rösner
Der Liliputaner	Fritz Hackl
Schürzinger	Franz Messner
Der Merkl Franz	Kurt Sowinetz
Dem Merkl Franz seine Erna	Luzi Neudecker
Elli	Kitty Speiser
Maria	Erne Seder
Der Mann mit dem Bulldoggkopf	Rudolf Kunstek
Juanita	Helly Servi
Die dicke Dame	Maxi Liftinger
Die Kellnerin	Hilde Pfaudler
Der Sanitäter	Günther Lass
Der Arzt	Eduard Fuchs

Abnormitäten und Oktoberfestleute

Dieses Volksstück spielt auf dem Münchner Oktoberfest, und zwar Anfang der dreißiger Jahre

Technische Einrichtung	Karl Dworsky
Beleuchtung	Franz Pribil

Pause nach dem vierten Bild

Musikaufnahmen des Gardebataillons Wien unter der Leitung von Kapellmeister Dr. Friedrich Hodick

Bühnenrechte beim Marton-Verlag, Wien

Die Kostüme wurden im Atelier Lambert Hofer, IV, Margaretenstraße 19, angefertigt

Programmheft des Theaters in der Josefstadt in Wien 1964

zenenfoto der Münchner Aufführung 1969

lakat der Basler Aufführung

1952 Glaube Liebe Hoffnung

Kleines Theater im Konzerthau

Direktion: Trude Pöschl   Künstl. Leitung: Michael Kehlma

Ab 29. Mai 1952, tägl. 20 Uh

anläßlich der Wiener Festwochen

ÖDÖN v. HORVATH

GLAUBE, LIEBE,
HOFFNUNG

Uraufführung

mit

Lotte Neumayer   Trude Pöschl
Elfriede Trambauer   Maria Urban
Tony Bukovits   Josef Gmeinder   Harry Glöckner
Alexander Kerszt   Fritz Kuntz
Wolfgang Litschauer   Erich Margo   Carl Merz
Karl Mittner   Kurt Radlecker
Rudolf Rösner   Anton Rudolph
Claus Scholz   u. a. m.

Inszenierung:
Michael Kehlmann

Bild:
Harry Glüc

Plakat der ersten Nachkriegsaufführung von »Glaube Liebe Hoffnung«

Plakat der französischen Aufführung von
»Glaube Liebe Hoffnung« in Rennes 1969

1954 Göttingen
1956 Wien
1961 München
1962 Wien

1963/64 Luzern
Zürich
1966 Hannover
Basel
1969 Zweites
Deutsches Fernsehen

1970 Berlin
Augsburg
Wiesbaden
Göttingen
1971 Osnabrück
Koblenz

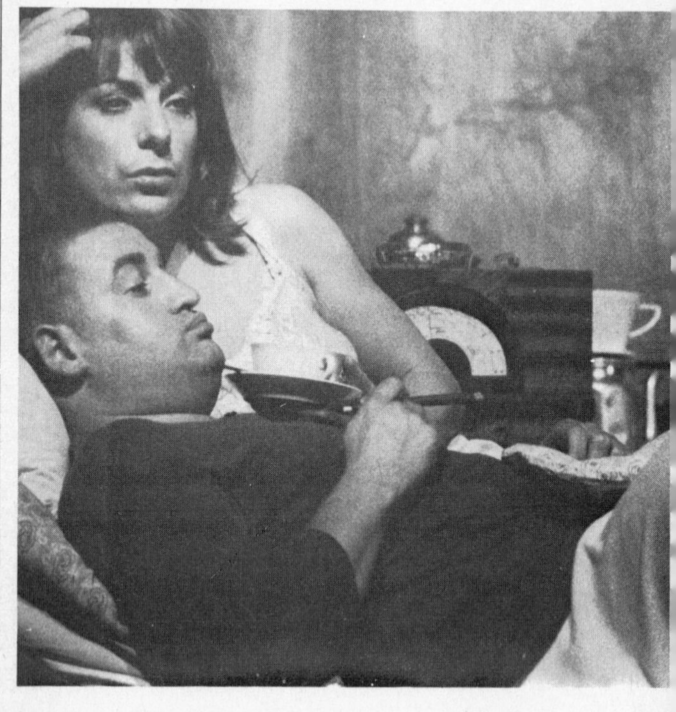

13. 9. 1969: Württembergisches Staatstheater Stuttgart
mit Hannelore Hoger als Elisabeth und Werner Schwuchow als Alfons Klostermeyer.
Regie: Peter Palitzsch

CHUPO: Ich bin ja nur froh, daß es schon heute ist. Ständig erhöhte Alarmbereitschaft – gut, daß die blöden Wahlen vorbei sind! Erst vorgestern nacht habens wieder einen Kameraden von mir erschossen.

LISABETH: Es müssen halt immer viele Unschuldige dran glauben.

CHUPO: Das läßt sich nicht umgehen in einem geordneten Staatswesen.

LISABETH: Das seh ich schon ein, daß es ungerecht zugehen muß, weil halt die Menschen keine Menschen sind – aber es könnt doch auch ein bißchen weniger ungerecht zugehen.

CHUPO: Also das ist Philosophie.

1952 Don Juan kommt aus dem Krieg

12. 11. 1952: Uraufführung im Theater der Courage in Wien mit Robert Werner als Don Juan, Gretl Söhren, Eva Roberts, Ann Schönhuber, Anne Herburger-Anzengruber, Kitty Oertl, Hel Kreuzer, Elfriede Rammer, Susanne Schönwiese und Jolanth Wührer
Regie: Edwin Zbonek

THEATER DER
Courage
LEITUNG: STELLA KADMON
WIEN I, BIBERSTRASSE 2
TAGESKASSE: 10—13 Uhr und ab 16 Uhr
TEL. RESERVIERUNG: R 25-3-11, B 50-7-56
5. SPIELJAHR
Don Juan kommt zurück
Ein Stück von Ödön von Horváth
Unsere Weihnachtspremiere:
Österreichische Erstaufführung:
Morgen ist auch ein Tag
Komödie von Heinz Coubier
Die im Saal ausgestellten Aquarelle und Graphiken sind von FRANZ KLASEK

1963 Deutsches Fernsehen
1964 Wien
1965/66 Graz
1967 Ulm
1968 Hannover
Linz
1969 Berlin
Castrop-Rauxel
1970 Festival du Royan
1972 Frankfurt
Göttingen

7. 11. 1971: Kleines Theater in der Josefstadt
mit Dietmar Schönherr als Don Juan und Silvia Medwed als Großmutter
Regie: Georg Lhotzky

Großmutter: Sie suchen eine Tote. Sie ist von uns gegangen. Am 3. März 1916.

Don Juan: Von uns –

Großmutter: Sie wollte sterben. Es hatte jemand kein Verantwortungsgefühl für sie, ein Schuft. Können Sie noch beten?

Don Juan: Am 3. März 1916 – Sie hat also meine Briefe garnicht gelesen?

Großmutter: Nein. Nur ich.
Haben Sie Angst?

Don Juan: Ja.

Großmutter: Die Toten sind friedlich und lassen uns allein –

1954 Ein Dorf ohne Männer

11. 9. 1954: Volkstheater in Wien

Volkstheater
Ges. m. b. H.

SPIELZEIT 1954—1955

HEFT 2

URAUFFÜHRUNG

Das Dorf ohne Männer

Komödie in 7 Bildern von
Ödön von Horváth

Matthias Corvinus, König von Ungarn	Joseph Hendrichs
Der Graf von Hermannstadt	Herbert Prodinger
Der Statthalter	Karl Skraup
Der Hofbeamte	Carl Bosse
Der Hauptmann	Bert Fortel
Der Bader	Fritz Eckhardt
Thomas, der Wirt vom „Einhorn"	Walter Kohut
Ein Dicker	Oskar Wegrostek
Ein Dürrer	Oskar Willner
Ein Bärtiger	Hugo Speiser
Ein Schloßverwalter	Benno Smytt
Der Hofwirt	Viktor Gschmeidler
Ein Gardist	Peter Brand
Zwei Herren	Emil Ottenwalter
	Hermann Laforêt
Die Blonde	Traute Wassler
Die Schwarze	Lotte Ledl
Die Rote	Louise Martini
Eine Badmagd	Ingeborg Weirich
Die Polin	Margit Haffer
Zwei Komödianten	Hugo Speiser
	Edgar Melhardt
Ein Page	Günther Ranninger

Die im Stück vorkommenden Idiome werden vom Dichter vorgeschrieben

Regie: Gustav Manker

Bühnenbild: Lajos von Horváth — Kostüme: Maxi Tschunko

Musik und musikalische Leitung: Robert Leukauf

Pause nach dem 5. Bild

Technische Einrichtung: Leopold Weihs — Beleuchtung: Robert Vareska

Masken: Hans Kres

Die Kostüme werden in den Werkstätten des Volkstheaters unter der Leitung von Else Zeheiner und Karl Krappel hergestellt

Das Blumenarrangement im 4. Bild stammt aus dem Blumenhaus **Heinrich Schwarz**, Wien VII., Kirchengasse 21.

Programmheft mit einer Zeichnung von Lajos von Horváth

1963 Zweites Deutsches Fernsehen

1969 Göttingen Deutsches Fernsehen

958 Pompeji

lakat der Urlesung in Recklinghausen

. 1. 1959: Uraufführung in der Tribüne in Wien
ıit Walter Simmerl als K. R. Thago, Edith Ressel als Idiotima,
rank Benedikt als Toxilus, Lydia Weininger als Lemniselenis u. a.
egie: Norbert Kammil

Horvath im Dornrö

Das Archiv der Akademie der Künste be

Von Wolfgang Schimming

● Es gibt 22 Theaterstücke von ihm, darunter vier, die zwischen 1929 und 1931 auf Berliner Bühnen uraufgeführt wurden. Aber die heutigen Berliner Dramaturgen haben sich noch nicht bis zu Oedön von Horvath vorgearbeitet. Oder zurückgearbeitet, denn über ihrem Geschrei nach lebenden Dramatikern vergessen sie, die Erbschaft der Zeit vor 1933 auszuwerten. Diese Zeit wurde ja nicht wegen ihrer künstlerischen Unfruchtbarkeit, sondern in blindwütiger, weltanschaulich-politischer Gegnerschaft aus dem Gedächtnis gestrichen. Außer bei Sternheim, Hasenclever und Toller ist vor allem bei dem atemberaubend produktiven Georg Kaiser immer noch viel zu entdecken, was wir gar nicht oder nicht mehr kennen. „Zwei Krawatten" wären etwas für Wölffer, „Zweimal Amphitryon" für Barlog. Aber auch Stücke von Unruh und Kornfeld sollten auf ihre heutige Wirkung erprobt werden.

● Ueberrunden ließ sich Berlin von den westdeutschen Theatern auch bei der Erneuerung der früheren Erfolge Pirandellos, des italienischen Anregers so vieler surrealistischer moderner Dramen. Der ganze süddeutsch-österreichische Bezirk der deutschsprachigen Theaterdichtung wird auf den Berliner Bühnen vernachlässigt: Grillparzer, Schnitzler, Hofmannsthal, um nur die wichtigsten zu nennen.

Aus dem Oesterreichischen kommt auch Oedön von Horvath, der in Wien aufgewachsene Autor mit dem ungarischen Namen. Er wurde 1901 bei Fiume geboren; in seinem kurzen Leben brachte er es auf die anfangs erwähnte große Zahl von Theaterstücken, vier Romane und drei Gedichtbände, von denen der erste („Das Buch der Tänze") 1922 in München erschien.

Später wandte sich Horvath nach Berlin, wo damals das Theaterleben in voller Blüte stand. Er freundete sich mit Männern wie Walter Mehring, Ferdinand Bruckner, Lernet-Holenia und Ulrich Becher an. 1933 vertauschte er Berlin wieder mit Wien, denn sein Schauspiel „Sladek, der schwarze Reichswehrmann", das 1929 im Lessing-Theater Premiere hatte, machte ihn den neuen Machthabern verdächtig und unerwünscht. Trotzdem kam Horvath 1934 noch einmal unerkannt für kurze Zeit nach Berlin zurück, um das Treiben der Nationalsozialisten an Ort und Stelle zu studieren und für seine schriftstellerischen Pläne zu verwerten. Aber als Hitler Oesterreich besetzte, schien es ihm doch geraten, sich davonzumachen. Auf Umwegen gelangte er nach Paris; dort spielte sich der ebenso tragische wie groteske Schlußakt seines kurzen Lebens ab. Wenige Monate nach gelungener Flucht aus dem NS-Machtbereich fiel er in Paris einem seltenen Unfall zum Opfer: Am 1. Juni 1938 erschlug den Dichter, als er vor einem Theater stand, ein umstürzender Baum! Am 1. Juni dieses Jahres ist also seines 25. Todestages zu gedenken.

Die Berliner Akademie der Künste hatte das Glück, daß der Bruder des Autors, Lajos von Horvath, ihr im November 1962 den Nachlaß des Dramatikers für das von Dr. Walther Huder geleitete Archiv überließ. Die Zeit seit 1938 hatten Horvaths Hinterlassenschaften ohne Beeinträchtigung durch den Krieg teils in einem Münchener Safe, teils auf dem Dachboden des Hauses, das die erst vor we
storbene Mutte
wohnte, heil üb

Die Akademi
hat ihre Archi
weile erfreulich
Mit Georg Ka
zwischen genau
ter) wertvoller
geben, dem sich
Jahre die Nachlä
Bruckner (gleich
Alfred Kerr un
anfügten. Auch
Programm- und
lung des priv
habers Wilhelm
kölln steht jetzt,
auf den Regale
archivs und
theaterhistorisch
gänglich. Welche
für den passion
tiger"!

Demnächst sind
gen zu erwarten.
Musikschriftstelle
des Literaten un
Hart und die Bes
Lessing-Hochschu
dem Archiv fest
wesentlichen di
pressionismus u
wirkungen währe
und dreißiger J
benen und gedruc
Fotos usw. erfaß

**Oedön von Ho
den damals
Kleist-Preis von
zugesprochen. B
vier Theaterstü
Berlin das Ram
„Die Bergbahn"
in der Volksbühn
das oben erw
„Sladek, der schw
mann" am 13. O
Lessing-Theater,
Nacht" am 20.
Theater am Schi
die „Geschichten
Wald" am 2. N
Deutschen Theat
Hilperts Regie.
vollen Titel de
beiden Stücke dü
hinwegtäuschen,
ihnen keineswe
haltung bieten
ernste und bitte**

Aus dem Spandauer Volksblatt vom 27. 1. 1963 anläßlich de

schenschlaf

ahrt seinen Nachlaß

gen Monaten ge-
des Dichters be-
standen.
im Hansaviertel
estände mittler-
reichern können.
r war ein (in-
ens katalogisier-
rundbestand ge-
m Lauf weniger
e von Ferdinand
Theodor Tagger),
Wolfgang Goetz
die bedeutende
Ausschnittsamm-
en Theaterlieb-
ichter aus Neu-
eu eingebunden,
des Akademie-
der Berliner
Forschung zu-
posthume Ehrung
ten „Premieren-

eitere Ergänzun-
Die Nachlässe des
s Carl Einstein,
Kritikers Julius
nde der früheren
in Berlin sind
ugesagt, das im
Zeit des Ex-
l dessen Nach-
d der zwanziger
re in geschrie-
ten Dokumenten,

**ath erhielt 1931
hochangesehenen
Carl Zuckmayer
dahin hatten
e Horvaths in
enlicht erblickt:
a 4. Januar 1929
am Bülowplatz,
hnte Zeitstück
rze Reichswehr-
tober 1929 im
ie „Italienische
März 1931 im
bauerdamm und
us dem Wiener
vember 1931 im
r unter Heinz
ie verheißungs-
letztgenannten
en nicht darüber
aß Horvath mit
leichte Unter-
wollte, sondern
e, sozialkritisch
getönte Inhalte hineinverpackt hat. Zu der von Hilpert geplanten Uraufführung des neuen Stücks „Glaube, Liebe, Hoffnung" kam es 1933 nicht mehr.**

Die Vermutung, Horvaths Bühnenstücke seien an die süddeutsche Mentalität gebunden, ist durchaus irrig. Sie sind weder regional allzu eng umgrenzt, noch bedeutet ihr „Alter" von 30 bis 35 Jahren etwa, daß ihre Zeitkritik heute ins Leere stieße. Nein, viele Aperçus und Dialogstrümpfe Horvaths stechen heute wie eh und je. Seine Bühnenwerke sind Volksstücke, Rollenstücke, keine intellektuelle Tiefenschürferei und Spiegelfechterei. Sie sind lebendiges Theater und durch den Abstand der inhaltschweren Jahrzehnte seit ihrer Entstehung kaum „historisch" angekränkelt. Sie geben in einfacher, aber überzeugender Sprache die untergründige Wahrheit der Zeit wieder, mit realistischer Deutlichkeit und mit einer erst nachträglich ins Bewußtsein dringenden Absicht, die jedoch nie mit erhobenem Zeigefinger daherkommt. Aehnlich wie Bert Brechts „Versuche" unbeschadet ihrer volkstümlichen Wirkung ja mehr oder weniger verhüllte Lehrstücke waren, die zum Nachdenken anregten, so auch Horvath, der österreichisch-ungarische Dramatiker einer Uebergangsgeneration, der auf den Bühnen heute noch ein entscheidendes Wort mitsprechen könnte, wäre er nicht vom Schicksal um sein volles Leben betrogen worden.

Die westdeutschen Bühnen sind in den letzten Jahren zu der Einsicht gelangt, daß sie wenigstens hinterher noch Nutznießer der dramatischen Talente Horvaths sein können. So ist das Volksstück „Kasimir und Karoline", das während des Münchener Oktoberfestes spielt, ebenso die Komödie „Die Unbekannte aus der Seine" von 1933 wiederaufgeführt worden. Das Fernsehen des WDR zeichnet demnächst in einer Bearbeitung des jungen Autors Traugott Krischke Horvaths Schauspiel „Don Juan kommt aus dem Krieg" auf, das gleich dem „Jüngsten Tag", der Tragödie eines Bahnwärters, und der Komödie „Erdbeben" (Pompeji) aus dem letzten Lebensjahr Horvaths stammt.

Oedön von Horvath

Die oben genannten, 1931 in Berlin gespielten Stücke „Geschichten aus dem Wiener Wald" mit ihrer Demaskierung des Wiener Kleinbürgertums (in Parallele zu dem „sächsischen Berliner" Sternheim) und „Italienische Nacht" würden ohne weiteres einen neuen Versuch lohnen. Könnte sich nicht Piscator für die Aufgabe Horvath erwärmen? Oder Hela Gerber, Forum, Schaubühne?

Wenn sich die Dramaturgen über andere Horvath-Titel informieren wollen, von denen wir noch mehrere nennen: „Glaube, Liebe, Hoffnung", „Ein Dorf ohne Männer", „Figaro läßt sich scheiden", so bietet ihnen das Archiv der Akademie der Künste jede gewünschte Hilfe. Wer wagt, hat zum mindesten eine Gewinnchance; wer dagegen nur auf den neuesten Tennessee Williams oder Wesker oder Anouilh schielt, der ist selber schuld, wenn man viel zu oft das meist recht mäßige Uebersetzungsdeutsch und viel zu selten eine originale deutsche Sprache von der Bühne vernimmt.

Gründung des Ödön von Horváth-Archivs

1966 Italienische Nacht

17. 3. 1966: Deutsches Fernsehen
mit Hertha Martin als Anna und Walter Kohut als Martin
Regie: Michael Kehlmann

6. 9. 1969: Volkstheater in Wien
mit Regine Felden als Anna und Wolfgang Hübsch als Martin
Regie: Wolf Dietrich

16. 9. 1971: Städtische Bühnen in Frankfurt am Main
mit Sylvia Ulrich als Anna und Wolfgang Hagemeister als Martin
Regie: Wolf Dietrich

1967 Konstanz
Stuttgart
1968 Berlin
1969 Magdeburg
Saarbrücken
Wien
Baden-Baden
Wilhelmshaven
1970 Bonn
Nürnberg
Essen
Bregenz
1971 München
Augsburg

1967 Sladek der schwarze Reichswehrmann

1967: Ateliertheater am Naschmarkt in Wien
mit Bernd Spitzer als Sladek
Regie: Peter Janisch

Du hast nicht selbständig zu denken! Du bist Soldat. Dreitausend Sladeks sind erst ein Regiment. Du bist nur ein Teil. Selbständig Teile sind überflüssig, also schädlich, also werden sie vernichtet.

1968 Kassel 1971 Frankfurt

1972 Sladek oder Die schwarze Armee

26. 3. 1972: Uraufführung in den Münchner Kammerspielen
mit Peter Matić als Sladek
Regie: Oswald Döpke

SLADEK oder DIE SCHWARZE ARMEE

Historie in drei Akten von Ödön von Horváth
Inszenierung Oswald Döpke
Bühnenbild und Kostüme Heinz Eickmeyer
Musik- und Tonmontage Michael Rüggeberg / Wolfgang Kawetzki
Regieassistenz Jens Pesel

Sladek	Peter Matić
Franz	Werner Kreindl
Anna	Louise Martini
Knorke	Wilmut Borell
Salm	Wolfgang Weiser
Horst	Michael Schwarzmaier
Halef	Walter Sedlmayr
Rübezahl	Franz Mosthav
Das Fräulein	Veronika Fitz
Hauptmann	Peter Paul
Bundessekretär Kriminalkommissar Richter Polizist	Wolfgang Büttner
Zwei Matrosen	Karl Renar Fred Klaus
Staatsanwalt	Jörg Schleicher
Rechtsanwalt	Willy Berling
Lotte	Monica Bleibtreu
Handleserin	Barbara Gallauner
Bundesschwester	Angelika Schneider
Drei Hakenkreuzler	Peter v. Weltin Michael Hoffmann Hartmut Solinger

1969 Rund um den Kongreß

5. 3. 1969: Kritik der Uraufführung im Theater im Belvedere in Wien unter der Regie von Irimbert Ganser

Horvath-Uraufführung im Wiener Theater am Belvedere

Lüge, Phrase, Dummheit

Uraufführung der nachgelassenen Posse „Rund um den Kongreß" von Ödön von Horvath im Wiener Theater am Belvedere. Großes Interesse an dem Frühwerk dankte einer bemühten Inszenierung.

Eine Horvath-Uraufführung? Interesse erwacht und zugleich Skepsis. Wird ein Werk eines renommierten Autors vierzig Jahre nicht gespielt, so geschieht das meist zu Recht. Und tatsächlich ist die fünfbildrige Posse „Rund um den Kongreß" eine Etüde, kein genialer Erstlingswurf.

Dennoch ist das 1929 entstandene Stück, das in Horvath-Ausgaben nur am Rande erwähnt wird, interessant. Ein Blick in die Werkstatt eines geborenen Dramatikers. Vorgeformt alles, was etwa „Geschichten aus dem Wiener Wald", „Kasimir und Karoline" oder „Hin und her" zu unverlierbaren Werken des Repertoires macht.

Da duckt sich Bestialität hinter spießiger Fassade, da kämpft ein Mensch gegen Lüge, Phrase Dummheit. Auch Horvaths Sprache, jene zwangshaft im Süddeutschen angesiedelte, die Alltagswendungen bedeutungsvoll macht, trifft man hier schon an.

Sonst aber: expressionistischer Krampf, symbolistische Schlakken, dramaturgische Grobheit, unmäßige Übersteigerung grotesker Züge.

Dafür typisch: Die Prostituierte Luise Gift hat lesbische Neigungen und erblindet langsam; der an Theorie, am Phänomen, an der Story, nicht aber an der Praxis, am Einzelfall, am Menschen interessierte Journalist Schminke lebt, nachdem er von der Polizei füsiliert wurde, als „Idee" weiter und erscheint dem tafelnden „internationalen Kongreß zur internationalen Bekämpfung der internationalen Prostitution" wie weiland Banquos Geist. Und am Ende erhebt sich ein Herr in der dritten Reihe rechts und fordert energisch, er wolle keine Tragödie, sondern eine Posse sehen, wie angekündigt, schließlich gehe er zum Vergnügen ins Theater.

Das Monströse an der Posse bekommt das jugendliche Ensemble nicht in den Griff (Regie: *Irimberg Gamser*); doch alles für den reifen Horvath Typische wird liebevoll präsentiert.

Fazit: eine lohnende Begegnung. *Michael Glaser*

1970 Wiesbaden Graz

969 Zur schönen Aussicht

. 10. 1969: Kritik der Uraufführung im Schauspielhaus in Graz ıit Branko Samarowski als Max, Wolfram Berger als Karl, Walter Kohls als Müller, Fritz Holzer als Strasser, Heribert Just als Freiherr von Stetten, Ruth Birk als Ada Freifrau von Stetten nd Lotte Marquardt als Christine
Regie: Gerald Szyszkowitz

Letzte Reste

Ödön von Horvath „Zur schönen Aussicht" in Graz uraufgeführt

as spät, aber jetzt mit einiger Vehe-ıenz ansteigende Interesse für den ramatiker Ödön von Horvath hat nun uch sein letztes, noch nicht gespieltes tück auf die Bühne gebracht. Es ist n frühes Werk, vielleicht das erste, dem er seine Kräfte zu gebrauchen ußte. Die sogenannte Komödie „Zur hönen Aussicht" wurde in Graz ur-ufgeführt.

ie entstand 1926, kurz nach der Über-edlung von Murnau nach Berlin. Man ıeint aus dem Text das Erschrecken des 5jährigen lesen zu können, das Er-hrecken darüber, wie der Mensch ist. er vom verlorenen Krieg aus der Bahn eworfene, von Inflation, von Schiebern nd Betrügern ausgeplünderte Mensch. as Böse im Menschen, das Adalbert tifter noch das „Tigerartige" nannte, ommt mit einer Brutalität zum Aus-ruch, für die der Vergleich mit Raub-eren zu schwach ist.

ie Fenster des Hotels „Zur schönen ussicht" blicken auf ein Alpen-Pan-rama. Aber im Innern sind die Aus-chten denkbar mies. Strasser, ein ab-ebauter Offizier und verkrachter Film- von ihm geheiratet werden und ihm helfen, ein Hotel zu führen. Strasser bekommt natürlich von der Baronin keine Heiratserlaubnis, er kann sich den Luxus nicht leisten. Die Männer verschwören sich gegen Christine. Jeder tut so, als ob er in ihr eine verflossene Geliebte erkenne. Strasser kann sich, entsetzt über so viel Verworfenheit, von ihr lossagen.

Aber plötzlich stellt sich heraus, daß sie Geld geerbt hat. Sofort schwenkt der Reigen der Sklaven um. Nacheinander gibt jeder der Baronin einen Fußtritt, nacheinander erläutert jeder Christine, wie er sich seine Zukunft mit ihr vorstellt. Vor ein paar Tagen noch war sie bettelarm, soeben noch fast vernichtet von der gemeinen Verschwörung, jetzt fühlt sie die Macht, die ihr das Geld gibt. Erschüttert verzichtet sie auf diese Macht und auf die um sie herum winselnden Kavaliere.

Bei dieser bitterbösen Komödie zeigt sich der ganze Horvath in der Art des beherzten Zupackens. Es sind die Ausgeburten einer bösen Zeit, die er fein nuanciert auf die Bühne bringt. Das hat

969 Wien
970 Saarbrücken
Freiburg
Tübingen
Biel/Solothurn
971 Detmold
Braunschweig
Pforzheim
Basel
Köln
Bochum
Darmstadt
1972 Deutsches Fernsehen und Schweizer Tourneetheater

Von Horvath:

Wo bleiben die Ideale?

**Das weiss ich nicht!
Ich weiss nur, dass ich Dich
nun liebe, weil Du
zehntausend Mark hast.
Ohne diese Summe
hätte ich auch keine Reue
empfunden.**

**Es gibt einen lieben Gott,
aber auf den ist kein Verlass.
Er hilft nur ab und zu,
die meisten dürfen verrecken.
Man müsste den lieben Gott
besser organisieren.
Man könnte ihn zwingen.
Und dann auf ihn verzichten.**

Zur schönen Aussicht Komödie
von Horvath

Plakat der Basler Aufführung 1971

THEATER

Heikle Themen

Durch enge Zusammenarbeit mit jungen Stückeschreibern werden in Basel neue Möglichkeiten des Theaters erprobt — ein Experiment, das am Widerstand von Bürgern zu scheitern droht.

Es gibt einen lieben Gott, aber auf den ist kein Verlaß. Er hilft nur ab und zu, die meisten dürfen verrecken."

Mit diesem Wort des Dramatikers Ödön von Horváth, auf grell-grüne Plakate gedruckt, warben die Bühnen der Stadt Basel für das Horváth-Stück „Zur schönen Aussicht". Baseler Bürger empfanden den Text als „Schandmal", als „pauschale Entmenschlichung", überpinselten das Plakat und erstatteten gegen den Theaterleiter Werner Düggelin Strafanzeige. Sogar das Kantonsparlament mußte sich mit dem Fall beschäftigen: Arnold Schneider, der verantwortliche Minister, versprach, „liebevoll und energisch" gegen angebliche Auswüchse im Stadttheater vorzugehen.

Schneider meinte damit wohl weniger das Horváth-Plakat als vielmehr die provozierende Art, in der in Basel Theater gemacht wird — er meinte die Experimente mit Spielplan und Autoren.

Hauptperson in dieser dem „Höhepunkt entgegentreibenden Kontroverse" („Neue Zürcher Zeitung") ist deshalb auch der Dramaturg Hermann Beil, 29, der ständig „den Status quo des Theaters in Frage" stellt, um „neue Möglichkeiten zu realisieren": Eine der Möglichkeiten, die Beil schon verwirklicht hat, ist die theatralische Dokumentation heikler Themen wie „Militärdienstverweigerung" oder „Die Schweiz im Lesebuch". Daß er damit konservative Stammbesucher aus dem Theater getrieben hat, stört ihn wenig, da „nun viele Jugendliche ins Haus kommen".

Aber vor allem hat Beil aus der Erkenntnis, „daß Autoren zum Theater gehören wie Schauspieler, Bühnenbildner und Regisseure", Konsequenzen gezogen. Mit einem Stipendium (1500 Franken pro Monat), von privaten Geldgebern aufgebracht, band er junge Dramatiker wie Dieter Forte („Martin Luther & Thomas Münzer") und Harald Sommer („Ein unheimlich starker Abgang") ans Theater.

Noch wichtiger als das Geld war für die Stückeschreiber jedoch die „praktische Theaterarbeit", die ihnen Beil anbot: Sie konnten nicht nur bei der Einstudierung ihrer eigenen Stücke kräftig mitreden, sondern diskutierten auch mit Dramaturgen und Regisseuren während der Proben über Besetzungen, Bearbeitungen und Interpretation von Kollegen-Stücken. Mit ihrer Fähigkeit, „szenisch zu denken" (Beil), haben die Jungdramatiker, wie Beil bekennt, auch den Theaterleuten ein Stück weitergeholfen. „Diese Spielzeit", sagt Beil, „war ein Lehrjahr für unser Theater."

Die enge Zusammenarbeit zwischen Autoren, Dramaturgen und Regisseuren hat sich auf Spielplan und Renommee des Theaters günstig ausgewirkt:

So hat der ehemalige Baseler Malergeselle Heinrich Henkel, den Beil entdeckte und dessen „Eisenwichser" in Basel uraufgeführt wurden, mit Studenten, Lehrlingen und Schülern eine zeitkritische Szenenfolge erarbeitet, die im Stadttheater gespielt werden soll.

Dank Beils Initiative können in Basel gelassen weitere Spielpläne gemacht werden: Henkel hat seinen Erstling „Spiele um Geld" überarbeitet; Sommer hat in Basel sein Zweipersonenstück „Der Sommer am Neusiedler See" geschrieben und Forte seine Bearbeitung des Webster-Stücks „Der weiße Teufel" beendet. Auch die nächsten Produktionen dieser Autoren werden in Basel zuerst angeboten — falls Düggelin und Beil dann noch da sind.

Denn Düggelin ist ernsthaft „zornig über jene Leute", die ihm „mit ihren politischen Süppchen" die Arbeit verleiden wollen. Spätestens im Herbst, wenn über höhere Subventionen verhandelt wird, müssen sich die Baseler Kulturpolitiker für Düggelins engagiertes Theater entscheiden oder für jenes Kunstverständnis, das der katholische Abgeordnete Leo Mettauer während des Plakat-Streits gepredigt hat: „Horváth ist nicht dafür bekannt, daß seine Stücke von geistigem Niveau sind."

Unterdessen provozieren die Baseler Theatermacher weiter. Premiere hatten kürzlich die „Biertisch-Gespräche" — sechs Einakter verschiedener Autoren mit Titeln wie „Gotthardchinesen", die vor allem Schweizer Kleinbürger mit reaktionären Neigungen auf der Bühne zeigen.

Überpinseltes **Horváth-Plakat**
„Pauschale Entmenschlichung"

Aus dem Nachrichtenmagazin »Der Spiegel« vom 10. 5. 1971

1969 Jugend ohne Gott

Verfilmung von Ödön von Horváths Roman »Jugend ohne Gott« unter dem Titel »Nur der Freiheit gehört unser Leben« im Zweiten Deutschen Fernsehen mit Heinz Bennent als Lehrer
Regie: Eberhard Itzenplitz

rbeitsfoto der Verfilmung von »Jugend ohne Gott« durch Roland
all unter dem Titel »Wie ich ein Neger wurde« mit Gerd Baltus
ls Lehrer

1971 Horváth-Colloquium

Horváth-Inszenierungen*: „Bestialische Dummheit und ahnungslose Verblendung“

Lehrstücke vom ewigen Spießer

Jahrzehntelang war der 1938 verunglückte Dramatiker Ödön von Horváth nahezu vergessen. Erst seit das Fernsehen Horváth-Stücke inszeniert, seit junge Stückeschreiber ihn als Vorbild verehren, wächst sein Nachruhm. In d ser Saison ist der Verfasser hintergründiger Volksstü einer der meistgespielten deutschsprachigen Autor

Als der Dichter Ödön von Horváth 1931 den Kleist-Preis bekam, rühmte ihn Carl Zuckmayer als „stärkste Begabung“ und „hellsten Kopf“ des deutschen Theaters.

Als Horváth 1938 in Paris 36jährig starb — ein niederbrechender Ast erschlug ihn —, war er in Deutschland längst tot. Die Nationalsozialisten hatten Dramen und Prosa des Emigranten auf den Index gesetzt.

Alle Wiederbelebungsversuche nach dem Kriege waren so gut wie erfolglos. Es nutzte beispielsweise nur wenig, daß der Wiener Kritiker Hans Weigel 1957 die „Herren Intendanten“ mit der Forderung bedrängte: „Spielt Horváth, setzt ihn durch.“ Ein paar Hörfunk-Inszenierungen, ein paar Dissertationen, mehr kam dabei nicht heraus.

Erst seit das Fernsehen Horváth für Millionen zubereitete, erst seit Dramatiker wie Martin Sperr, Rainer Werner Fassbinder oder Franz Xaver Kroetz Horváths Volksstücke priesen und als „Humus“ für die eigenen Dramen benutzten, wurden „Kasimir und Karoline“, „Glaube Liebe Hoffnung“ oder die „Geschichten aus dem Wiener Wald“ auf deutschen Bühnen heimisch.

Nun ist sogar ein Horváth-Boom (39 Inszenierungen in der letzten Spielzeit) zu verzeichnen. In diesen Tagen

- hat der Suhrkamp-Verlag den vierten und letzten Band der erstmals „Gesammelten Werke“ ausgeliefert**;
- wurde im Wiener „Museum des 20. Jahrhunderts“ eine Gedächtnisausstellung zum 70. Geburtstag des Dichters (9. Dezember) eröffnet;
- soll der vom Verleger Thomas Sessler gestiftete „Horváth-Dramatikerpreis“, um den sich 340 Stückeschreiber beworben haben, in Form von sechs „Arbeitsgulden“ à 1000 Mark erstmals vergeben werden;
- fand in der Berliner Akademie der Künste ein internationales „Colloquium zum Werk Ödön von Horváths“ statt.

Vier Tage lang erkundeten in Berlin Literarhistoriker, Autoren und Theaterleute in Referaten und Diskussionen, wie weit wohl das politische Engagement des Dichters gegangen sei, ob er Bildungstragödien oder politische Zeitstücke geschrieben, ob er intuitiv oder eher analytisch gearbeitet habe.

In den Texten des Dramatikers wurde — so von Horváth-Herausgeber Dieter Hildebrandt — ein „Jargon der eigentlichkeit“ aufgespürt, wur „Sprachschablonen“ und „Bewußtse Maskeraden“ entdeckt. Der Stü schreiber, so dozierte Professor Vol Klotz, habe „das Volksstück von klassischen Dramaturgie erlöst“, s Held und Handlung zeige Horváth fekte Wirklichkeitsmuster“ — „Öd so meinte Horváths einstige Freun Wera Liessem aus Hamburg, „hätte s hier sehr gewundert.“

Denn der 1901 im damals österrei schen Fiume geborene Diplomatenso der sich sogar zum eigenen Werk ungenau und widersprüchlich ausl hatte zeitlebens literarische Theo und Dispute gehaßt. Hochgestoch Unterhaltungen unterbrach der am tionierte Bergsteiger und Verfasser „Sportmärchen“ gern mit farbigen richten vom jeweils letzten Boxkar oder Fußballmatch. Er ging überc viel lieber ins Kino (Spezialität: Kri nalfilme) als ins Theater. Im Freund kreis, zu dem die Schriftsteller C Zuckmayer, Franz Theodor Csokor u Franz Werfel zählten, war er ein schätzter Erzähler pointenloser Anek ten und Gespenstergeschichten, die selbst erlebt haben wollte.

Mit Vorliebe jedoch hielt Horv sich dort auf, wo er das Personal seine Stücke antraf: im Wiener Pr

* „Kasimir und Karoline“ mit Maresa Hörbiger und Peter Vogel im Hamburger Schauspielhaus; „Geschichten aus dem Wiener Wald“ im Düsseldorfer Schauspielhaus

** Ödön von Horváth: Gesammelte Werke, 4 Bände, 2576 Seiten; 192 Mark

174

Aus dem Nachrichtenmagazin »Der Spiegel« vom 19. 11. 1971

Nachdenken über Ödön von Horváth

Ödön von Horváth wäre 1971 siebzig Jahre alt geworden. Er wurde es nicht. Denn er starb, 36 Jahre alt, in Paris, auf den Champs-Elysées; das meint: den elysischen Gefilden. Ein Unwetter fällte einen Baum, der Baum fällte ihn.

Gezeiten Horváths: Ein erfolgreicher Autor einst; dann verfemt; dann vergessen; dann ein Geheimtip; und heute eine theatralische Sendung — Spielpläne, Doktoranden und Regisseure heftig bewegend, und jüngst gar einen eigens ihm gewidmeten Kongreß von Schriftgelehrten aller Couleur, den die Berliner Akademie der Künste einberufen hatte, wofür ihr Dank und Hochachtung gebührt. Und schon rührt sich's hier und da und wagt das kaum zu Wagende: ihn, den ungarisch geborenen Edelmann und deutschen Dichter, für größer zu erklären denn den armen, den großen B. B.

Ein Baum wird ihm zum Henker

Siegfried Unseld hat sich die Verlagsrechte für Suhrkamp besorgt und aus ihnen eine vierbändige Ausgabe gemacht, deren letzter Band soeben erschienen ist. Bücher, die man mit geradezu sinnlichem Vergnügen in die Hand nimmt, über deren Satzbild und Lettern auf dem gelben Dünndruckpapier man die Fingerkuppen behutsam streichen läßt, deren Witterung man einatmet und deren Einband man leise prüfend biegt. Ihr Inhalt ist von Dieter Hildebrandt, Walter Huder und Traugott Krischke mit jener Sorgfalt hergerichtet worden, die des Editors Würde ist.

Leben: das Stichwort provoziert den eigentümlichen Tod des Dichters. Horváth starb seinen eigenen, einen Horváth-Tod. Ein Vorfall, ebenso absurd wie bestimmt von zwanghafter Determination. Der Flüchtling, verstoßen von den Deutschen in der Mitte seines Lebens und unruhevoll umherstreifend in den Ländern des noch freien Europa, macht Station zwischen Holland und Zürich: in Paris, Geschäfte halber. Hat eine Verabredung zum Kinobesuch (Disney), wird an diesem heißen Frühsommertag überrascht vom Gewitter und sucht den Schutz eines Baumes, der ihm zum Henker wird. Das war am 1. Juni 1938 abends gegen halb acht. »Das größte Abenteuer seines Lebens«, so hatte es ihm die Wahrsagerin zu Amsterdam vor seiner Abreise nach Paris prophezeit. Es traf ihn auf der Straße — Straßen hatte er gefürchtet und die Angst der Menschen vor dem Wald für weniger verständlich gehalten. (Man lese die Einzelheiten nach, etwa in der trauer- und liebevollen Darstellung durch Zuckmayer in dessen Lebenserinnerungen.) Er ging vertraut um mit Geistern und magischen Mächten, war voll des gläubigen Aberglaubens, bewegt von mancherlei irrationalen Gewalten — und lieferte doch mit seinen Dramen die präziseste Durchleuchtung, die rationalste Analyse des Staates im Vorfeld der Gewalt, der Gesellschaft im Vorfeld ihrer eigenen Deformation zum Faschismus.

Dieser Staat siedelt im Herzen Europas, ist voller landschaftlicher und seelenträchtiger Reize, reich versehen mit Gemütswerten und traulichen Traditionen, darüber eine Art von leicht faßlichem Humor. Seine Menschen sind bewegt von jener Form süddeutscher Herzigkeit, die eine besonders mörderische Variante des Deutschen ist.

Über den Dichter Horváth nachdenken heißt, über seine Sprache nachdenken. Scheinbar eine banale Feststellung, da doch allen Dichtens Medium die Sprache ist. Bei Horváth aber liegt es anders, vertrackter auf eine faszinierende Weise. Was er zu sagen hat, sagt er nicht *durch* die Sprache, sondern *in* der Sprache. Die Art seiner Gestalten, sich auszudrücken, ist, identisch mit ihrer Art zu sein. Wenn je das Schlagwort zutraf, so hier: The medium is the message.

Diese Sprache hat doppelten Boden. Wer ihre freundlich polierte Oberfläche betritt, bricht ein. Was sich auf den ersten Blick als dem Volke und seinem Maul abgehörte Alltäglichkeit darbietet, erweist sich als Demonstration eines nackten, eines skelettierten Menschenlebens. Menschenleben, nicht nur aus Schöpfers Hand gefallen, sondern auch aus der seiner Geschöpfe. Menschen, deren unsagbares Elend, deren Einsamkeit und Verlorenheit, deren Schinden und Geschundensein, deren Betrügen und Betrogenwerden nicht nur ein Zeitbild der wirtschaftlichen Krisenjahre liefert; sondern eine Anthropologie. Und jede Anthropologie enthält zugleich den Entwurf einer Theologie.

Der miserable Zustand dieser Menschen manifestiert sich im Verlust ihrer Sprache, des eigentlichen humanen Mediums also. Nicht daß sie schwiegen; schlimmer: sprechend sind sie stumm. Insofern als sie sich einer ihnen ungemäßen, übergestülpten, einer höchst artistischen Plastiksprache bedienen: eines »Jargons der Uneigentlichkeit«. So formulierte es, Adorno kontrapungierend, Dieter Hildebrandt in seinem brillanten Berliner Referat.

Aufgewertet in den Rang eines Klassikers

Erhoben von den zwar nicht unkritischen, doch durchweg rühmenden Beiträgen dieses Akademie-Kolloquiums, sah Horváth sich unversehens aufgewertet in den Rang eines Klassikers (und zum Segen gereichte es der Diskussion, daß dieser Begriff nicht zur Sprache kam). Schon zeichnen sich Schulen ab und Dogmen, und die Rolle des Häretikers war lediglich mit Urs Jenny besetzt, der sie freilich mit Anmut spielte und nicht etwa Horváth schalt, sondern den erstaunlichen Konsensus seiner Kommentatoren, die Intellekt am Werke sehen und Kalkül, wo Jenny Instinkt vermutet, die von »Gesellschaft« reden, da, wo Jenny »Natur« ahnt, und irrationale Züge des Schilderns anstelle der vorgeblichen sozialen Analyse.

»Publik« vom 19. 11. 1971

Bestürzend ist die Gegenwärtigkeit
von Horváths Œuvre. Es trifft
haargenau den geistigen Zustand,
den wir im Moment durchleben,
mit seinen Spannungen, Fragen und
Fragwürdigkeiten, und es kritisiert
ihn bereits. Dieser Zustand war
also schon damals, in der
Zwischenkriegszeit, vorhanden.
Nur wenige sahen es, Horváth
hat ihn gestaltet.

Piero Rismondo

Anhang

Daten

1901 9. Dezember: Edmund (Ödön) Josef von Horváth in Sušak, einem Vorort von Fiume, geboren.
Vater: Dr. Edmund Josef von Horváth, im diplomatischen Dienst tätig. Mutter: Maria Hermine, geb. Prehnal.

1902 Sommer: Übersiedlung nach Belgrad

1903 6. Juli: Bruder Lajos von Horváth in Belgrad geboren.

1908 Übersiedlung nach Budapest. Erster Unterricht in ungarischer Sprache durch einen Hauslehrer.

1909 Dr. Horváth wird nach München versetzt. Ödön von Horváth bleibt in Budapest und besucht dort das Rákóczianum (Erzbischöfliches Internat). Intensive religiöse Erziehung.

1913 Dezember: Ödön von Horváth wird zu seinen Eltern nach München geholt.

1914 Ödön von Horváth besucht das Wilhelmsgymnasium in München. Ernste Differenzen mit dem Religionslehrer Dr. Heinzinger, die jahrelang wirksam bleiben und sich später in Horváths Werk niederschlagen. Dr. Edmund von Horváth wird einberufen.

1915 Dr. Horváth wird von der Front wieder abberufen und nach München beordert.

1916 Übersiedlung nach Preßburg. Erste Zeugnisse »schriftstellerischer« Versuche in Form von Gedichten, von denen eines *(Luci in Macbeth. Eine Zwerggeschichte von Ed. v. Horváth)* erhalten ist; von anderen »Gelegenheitsdichtungen« (*Professoren in der Unterwelt* u. a.) berichten Freunde aus der Jugendzeit.

1918 Vor Kriegsende wird Dr. Horváth nach Budapest berufen. Dort stößt Ödön von Horváth zu einem Kreis junger Leute (Galilei-Kreis), die mit Begeisterung die national-revolutionären Werke von Endre Ady lesen. Starkes Interesse an den machtpolitischen Kämpfen in Budapest.

1919 Frühjahr: Dr. Horváth wird nach München versetzt. Ödön von Horváth kommt in die Obhut eines Onkels nach Wien und besucht dort das Realgymnasium.
Sommer: Abitur in Wien; anschließend Übersiedlung nach München.
Herbst: Immatrikulation an der Ludwig-Maximilians-Universität in München (bis zum Wintersemester 1921/22).

1920 Begegnung mit Siegfried Kallenberg in München; auf dessen Anregung hin entsteht *Das Buch der Tänze*.

1922 *Das Buch der Tänze* erscheint im El Schahin Verlag, Mün
chen, in einer Auflage von 5 000 Exemplaren; später (1926
kauft Ödön von Horváth die Restauflage mit Hilfe seine
Vaters auf und vernichtet sämtliche erreichbaren Exemplare
7. Februar: *Das Buch der Tänze* wird zusammen mit den
Buch der frühen Weisen und *Aus einem Herbst* im Steinicke
Saal in München konzertant aufgeführt. Es ist dies der »I
Literarisch-musikalische Abend der Kallenberg-Gesellschaft«
Weitere schriftstellerische Versuche; vermutliche Entstehungszei
von *Ein Epilog* und der »romantischen Novelle« *Amazonas*

1923 Ödön von Horváth zieht in das Landhaus seiner Eltern nac
Murnau. Intensive schriftstellerische Arbeit, doch vernichte
er fast alle seiner Manuskripte. Mutmaßliche Entstehungs
zeit des Fragments *Dósa* und des Schauspiels *Mord in de*
Mohrengasse, aus dem einzelne Motive in späteren Volks
stücken wieder auftauchen. Neben kurzen Prosaskizzen Nie
derschrift der *Sportmärchen,* die – 1924 und später – in ver
schiedenen Zeitschriften und Zeitungen gedruckt werden.

1924 26. März: Anläßlich des »III. Literarisch-musikalischen Abend
der Kallenberg-Gesellschaft« gelangen wiederum Text
Horváths vor die Öffentlichkeit. Außer der *Geschichte eine*
kleinen Liebe und dem *Ständchen* (mit der Musik Siegfrie
Kallenbergs) auch noch Horváths *Schlaf meine kleine Braut*
das verschollen ist.
Im Herbst unternimmt Ödön von Horváth gemeinsam mi
seinem Bruder Lajos eine mehrwöchige Paris-Reise; danac
faßt er den Entschluß, sich in Berlin niederzulassen.

1926 20. Februar: *Das Buch der Tänze* wird am Stadttheater Os
nabrück uraufgeführt.
Mutmaßliche Entstehungszeit des Volksstücks *Revolte au*
Côte 3018 und der Komödie *Zur schönen Aussicht.*

1927 Im Büro der »Deutschen Liga für Menschenrechte« in Ber
lin sichtet Horváth Unterlagen für eine Denkschrift zur Ju
stizkrise; dort stößt er auf Material über die Fememorde de
Schwarzen Reichswehr.
Vermutliche Entstehungszeit des fragmentarischen Schau
spiels, das sich mit dem *Fall Ella Wald* befaßt.
4. November: *Revolte auf Côte 3018* wird in Hamburg ur
aufgeführt. Nach der Uraufführung arbeitet Horváth sei
Volksstück um und gibt ihm den Titel *Die Bergbahn.*

1928 Horváth unternimmt eine Spanienreise, deren Erlebnisse sic
später im ersten Teil des Romans *Der ewige Spießer* niederschlagen.

Die Historie *Sladek oder Die schwarze Armee* arbeitet Horváth um und gibt der Neufassung den Titel *Sladek der schwarze Reichswehrmann.*

1929 4. Januar: *Die Bergbahn* wird in Berlin uraufgeführt.

Der Ullstein-Verlag bietet ihm einen Vertrag und damit die Möglichkeit, als freier Schriftsteller zu leben.

Unter Verwendung eines früheren Entwurfs mit dem Titel *Ein Fräulein wird verkauft* entsteht die Posse *Rund um den Kongreß*. Das erste Kapitel eines Romans *Herr Reithofer wird selbstlos* bildet die Grundlage zum *Ewigen Spießer*. Auch die Geschichten der *Agnes Pollinger* werden weiter ausgearbeitet, wobei das Konzept eines »Romans einer Kellnerin« mit den Titeln *Ursula* und *Charlotte* Verwendung findet. Mutmaßliche Entstehungszeit des Romanentwurfs *Der Mittelstand.*

13. Oktober: *Sladek der schwarze Reichswehrmann* gelangt in einer Matinee-Vorstellung zur Uraufführung und provoziert heftige Angriffe der Nationalsozialisten.

1930 Horváth beendet den Roman *Der ewige Spießer* und übergibt ihn dem Propyläen Verlag, in dessen Theaterabteilung – Arcadia – auch seine Stücke erscheinen.

Mehrere Autorenabende, u. a. auch in München.

Personen und Vorgänge aus seinem Erlebnisbereich schlagen sich in dem Volksstück *Italienische Nacht* nieder.

1931 20. März: *Italienische Nacht* wird in Berlin uraufgeführt.

4. Juli: Oskar Sima inszeniert in Wien eine entpolitisierte Fassung der *Italienischen Nacht*. Anläßlich dieser Premiere erklärt Horváth, daß er »soeben« die *Geschichten aus dem Wiener Wald* abgeschlossen habe, an denen er lange Zeit gearbeitet hatte.

22./23. Juli: In Murnau wird Horváth in einem Saalschlacht-Prozeß als Zeuge vernommen und von den Nationalsozialisten erneut angegriffen.

Herbst: Auf Vorschlag von Carl Zuckmayer erhält Ödön von Horváth – zusammen mit Erik Reger – den Kleist-Preis.

2. November: Die Uraufführung von *Geschichten aus dem Wiener Wald* am Deutschen Theater in Berlin wird zu einem entscheidenden Erfolg.

Max Reinhardt regt Ödön von Horváth und R. A. Stemmle an, eine Ausstattungsrevue *Magazin des Glücks* zu schreiben, an der auch Walter Mehring mitarbeiten soll. Mehrere Entwürfe entstehen, werden aber nicht mehr ausgearbeitet.

Das Volksstück *Kasimir und Karoline* wird noch im selben Jahr abgeschlossen.

1932 Februar: Begegnung mit Lukas Kristl in München, der Horváth die Anregung zu einem Stück über »die kleinen Paragraphen« gibt; *Glaube Liebe Hoffnung* wird aufgrund eines authentischen Vorfalls konzipiert und mehrfach umgearbeitet.
Autorenlesungen (in München) und ein Interview im Bayerischen Rundfunk (6. April) belegen Horváths wachsende Popularität.
18. November: Uraufführung von *Kasimir und Karoline* in Leipzig und eine Woche später – in derselben Inszenierung – in Berlin. Horváth sieht sich veranlaßt, eine *Gebrauchsanweisung* für seine Stücke zu konzipieren.

1933 Heinz Hilpert wird von den Nationalsozialisten gezwungen, *Glaube Liebe Hoffnung* von Ödön von Horváth, das er zur Uraufführung angenommen hatte, abzusetzen. Auch andere geplante Aufführung von Horváths Werken an deutschen Bühnen finden nicht mehr statt.
In Murnau wird das Haus der Eltern Horváths von einem SA-Trupp durchsucht. Der ungarische Gesandte protestiert. Ödön von Horváth verläßt Deutschland, fährt nach Salzburg und anschließend nach Wien.
Die Unbekannte aus der Seine entsteht.
Um die ungarische Staatsbürgerschaft zu behalten, muß Horváth nach Budapest reisen. Dieses Ereignis schlägt sich in der Posse *Hin und her* nieder.
27. Dezember: Ödön von Horváth heiratet in Wien die Sängerin Maria Elsner. Im darauffolgenden Jahr wird die Ehe wieder geschieden.

1934 Die in Wien geplante Uraufführung von *Die Unbekannte aus der Seine* kommt nicht zustande.
Horváth reist wieder nach Berlin, um den Nationalsozialismus zu studieren, da er ein Theaterstück über dieses Thema plant. Seine Eindrücke finden sich wieder in dem Entwurf und in den Szenen von *Der Lenz ist da!* Dieselben Motive werden dann auch in dem Roman *Jugend ohne Gott* von Horváth verwendet. In Berlin gewinnt Horváth Anschluß an die Filmindustrie, entwickelt mehrere Stoffe, schreibt Film-Dialoge und adaptiert Themen wie *Kean* und *Brüderlein fein!* Die meisten Unterlagen aus dieser Zeit sind nicht mehr auffindbar; berichtet wird von Exposés unter dem Titel *Kuß im Parlament* und *Pässe nach Deutschland.* Später distanziert sich Horváth von seiner Filmarbeit.
Unter Verwendung früherer Motive entsteht das »Märchen«

Himmelwärts, das ein Berliner Bühnenvertrieb noch im selben Jahr übernimmt, aber in Deutschland nicht mehr placieren kann. Unter demselben Titel entstehen mehrere Entwürfe anderen Inhalts, u. a. auch ein Roman *(Ludwig Schlamperl)*. Die Nationalsozialisten leiten neue Untersuchungen gegen Ödön von Horváth ein.
18. Dezember: Uraufführung von *Hin und her* in Zürich. Horvath nimmt diese Gelegenheit wahr, zusammen mit der Berliner Schauspielerin Wera Liessem Deutschland zu verlassen.

1935 Mehrere Pläne, Skizzen und Fragmente aus dem Themenbereich »Flucht aus der Gegenwart« entstehen. Gemeinsam mit seinem Bruder Lajos faßt er den Plan zu einem bebilderten Brief-Roman mit dem Titel *Die Reise ins Paradies*. Als Auftragsarbeit des Max Pfeffer Verlages schreibt Horváth das Lustspiel *Mit dem Kopf durch die Wand*, das er selbst mehrmals umarbeitet, aber nach der Uraufführungn in Wien (10. Dezember) endgültig verwirft.

1936 Das Schauspiel *Der jüngste Tag* wird abgeschlossen, und in rascher Folge, zum Teil auf frühere Entwürfe zurückgreifend, entstehen die Stücke *Figaro läßt sich scheiden* und *Don Juan kommt aus dem Krieg*. Während dieser Zeit hält sich Horváth vornehmlich in Wien und in Henndorf bei Salzburg auf. Als er im August seine Eltern in Possenhofen besucht, wird ihm mitgeteilt, daß ihm die Aufenthaltserlaubnis entzogen sei und er binnen 24 Stunden Deutschland zu verlassen habe.
13. November: *Glaube Liebe Hoffnung* wird unter dem Titel *Liebe, Pflicht und Hoffnung* in Wien uraufgeführt.

1937 Horváth distanziert sich von fast allen seinen bisherigen Bühnenstücken und faßt den Entschluß, eine *Komödie des Menschen* zu schreiben. Entstanden sind inzwischen das Lustspiel *Ein Dorf ohne Männer* und die »Komödie eines Erdbebens« *Pompeji*, die einzigen beiden Stücke, die Horváth bereit ist, seiner *Komödie des Menschen* zu integrieren.
In Henndorf bei Salzburg schreibt Horváth den Roman *Jugend ohne Gott*.
2. April: Uraufführung von *Figaro läßt sich scheiden* in Prag.
24. September: Uraufführung von *Ein Dorf ohne Männer* in Prag. Im Herbst erscheint bei Allert de Lange in Amsterdam der Roman *Jugend ohne Gott* und wird ein außerordentlicher Erfolg; zahlreiche ausländische Agenturen erwerben Übersetzungsrechte. Horváth beginnt seinen nächsten Roman *Ein Kind unserer Zeit*.

5. Dezember: Uraufführung von *Himmelwärts* (in einer Bearbeitung) als Matinée-Vorstellung in Wien.
11. Dezember: Uraufführung von *Der jüngste Tag* in Mährisch-Ostrau.
Bis zum Jahresende wird der letzte Roman Horváths *Ein Kind unserer Zeit* abgeschlossen und vom Allert de Lange Verlag übernommen.

1938 Starke Depressionen, Unzufriedenheit im Künstlerischen, verstärkt durch finanzielle Sorgen, hindern Horváth an der Verwirklichung weiterer Pläne. Von dem Romankonzept *Adieu Europa!* entstehen nur wenige – ständig variierte – Seiten.
März: Flucht seiner Freunde – Walter Mehring nach Zürich, Hertha Pauli nach Paris, Franz Theodor Csokor nach Polen. Auch Horváth verläßt Wien und folgt einer Einladung von Lajos von Hatvany nach Ofen.
April: Horváth fährt zu der Schauspielerin Lydia Busch nach Teplitz-Schönau, bleibt dort bis in die zweite Aprilhälfte, will von Prag aus nach Amsterdam fliegen, läßt diesen Plan jedoch wieder fallen.
Anfang Mai: über Budapest-Jugoslawien-Triest-Venedig und Mailand fährt Horváth nach Zürich.
17. Mai: Ankunft in Brüssel, Weiterreise nach Amsterdam.
28. Mai: Ankunft in Paris zu Besprechungen mit Armand Pierhal, dem Übersetzer von *Jugend ohne Gott* und *Ein Kind unserer Zeit,* und Robert Siodmak, der *Jugend ohne Gott* verfilmen will.
1. Juni: Treffen mit Robert Siodmak. Horváth hat die Absicht, am nächsten Morgen nach Zürich zu reisen. Gegen 19.30 Uhr wird Ödön von Horváth durch einen stürzenden Baum, gegenüber dem Théâtre Marigny, getötet.
7. Juni: Ödön von Horváth wird auf dem Friedhof St. Ouen, im Norden von Paris, bestattet.

Bibliographische Hinweise

Die bibliographischen Hinweise erfassen in der Reihenfolge der Erscheinungsdaten sämtliche bisher festgestellten Publikationen Ödön von Horváths. Unberücksichtigt bleiben lediglich bei den Publikationen seit Horváths Tod auszugsweise Abdrucke und Veröffentlichungen in Anthologien, da diese Texte in der vorliegenden Gesamt- bzw. Werkausgabe greifbar sind. Die Anordnung nach Erscheinungsdaten soll der leichteren Übersicht über die Publikationschronologie und über die Rezeption der Werke Horváths dienen.

Das Verzeichnis der Sekundärliteratur erfaßt die wissenschaftlichen Publikationen über Horváth und sein Werk. Rezensionen und persönliche Erinnerungen bleiben unberücksichtigt. Sie sind für die Hauptwerke Ödön von Horváths in den Materialienbänden der edition suhrkamp greifbar.

Publikationen zu Lebzeiten Horváths

1922 *Das Buch der Tänze.* München (El Schahin) 1922. [Von Ödön J. M. von Horváth]

1924 *Der Faustkampf, das Harfenkonzert und die Meinung des lieben Gottes.* In: *Simplicissimus.* München. 22. 9. 1924.
Vom unartigen Ringkämpfer. In: *Simplicissimus.* München 15. 11. 1924.
Drei Sportmärchen. [Was ist das? Start und Ziel. Vom artigen Ringkämpfer.] In: *BZ am Mittag.* Berlin. 21. 11. 1924.

1925 *Legende vom Fußballplatz.* In: *Simplicissimus.* München. 20. 4. 1925.

1926 *Legende vom Fußballplatz.* In: *Berliner Volkszeitung.* 18. 11. 1926
Vom artigen und unartigen Ringkämpfer. In: *Berliner Volkszeitung.* 21. 11. 1926.
Start und Ziel. In: *Berliner Volkszeitung.* 5. 12. 1926.
Der Herr von Bindunghausen. In: *Simplicissimus.* München. 6. 12. 1926.

1927 *Revolte auf Côte 3018.* Volksstück in vier Akten. Berlin (Volksbühnen-Verlags- und Vertriebsgesellschaft m. b. H.). 1927. (Als unverkäufliches Manuskript vervielfältigt).

Die Bergbahn. Volksstück in drei Akten. Berlin (Volksbüh-nen-Verlags- und Vertriebsgesellschaft m. b. H.) 1927. (Al unverkäufliches Manuskript vervielfältigt).

Zur schönen Aussicht. Komödie in drei Akten. Berlin (Volks-bühnen-Verlags- und Vertriebsgesellschaft m. b. H.) 192 (Als unverkäufliches Manuskript vervielfältigt.)

Autobiographische Notiz (auf Bestellung) In: *Der Freihafen Blätter der Hamburger Kammerspiele.* Jg. 10, Heft 3. No-vember 1927.

1928 *Sladek oder Die schwarze Armee.* Historie in drei Ak-ten. Berlin (Volksbühnen-Verlags- und Vertriebsgesell-schaft m. b. H.) 1928. (Als unverkäufliches Manuskript ver-vielfältigt).

Zwei Sportmärchen: Vom artigen Ringkämpfer. Vom unar-tigen Ringkämpfer. In: *Die Jugend.* 33, 1928, Nr. 25.

1929 *Sladek der schwarze Reichswehrmann.* Historie aus dem Zeit-alter der Inflation in drei Akten. Berlin (Volksbühnen-Ver-lags- und Vertriebsgesellschaft m. b. H.) 1929. (Als unverkäuf-liches Manuskript vervielfältigt).

Rund um den Kongreß. Posse in fünf Bildern. Berlin (Ar-cadia Verlag) 1929. (Als unverkäufliches Manuskript verviel-fältigt).

Drei Szenen aus »Sladek«. (Erster Akt). In: *Das Theater* Nr. 4, Februar 1929.

[Zensur und Proletariat] In: *Die Menschenrechte.* Berlin 20. 2. 1929.

Fiume, Belgrad, Budapest, Preßburg, Wien, München. In *Der Querschnitt.* Heft 9, 1929.

Ein Fräulein wird bekehrt. In: *24 neue deutsche Erzähler* Berlin (Gustav Kiepenhauer) 1929.

1930 *Der ewige Spießer.* Erbaulicher Roman in drei Teilen. Ber-lin (Propyläen) 1930.

Hinterhornbach. In: *Berliner Tageblatt.* 30. 3. 1930.

1931 *Italienische Nacht.* Volksstück. Berlin (Propyläen) 1931.

Geschichten aus dem Wiener Wald. Volksstück in drei Tei-len. Berlin (Propyläen) 1931.

Aus den Memoiren des Hierlinger Ferdinand. [Die gerettete Familie.] In: *Blätter des Deutschen Theaters* (Berlin). Heft 3 November 1931.

Der ewige Spießer. Selbstanzeige. In: *Das Tagebuch* 12 (1931).

1932 *Kasimir und Karoline.* Volksstück. Berlin (Arcadia) 1932 (Als unverkäufliches Manuskript vervielfältigt).

Glaube Liebe Hoffnung. Ein kleiner Totentanz in fünf Bildern. Berlin (Arcadia) 1932. (Als unverkäufliches Manuskript vervielfältigt).

[Zu Gerhart Hauptmanns 70. Geburtstag.] In: *Heft des Deutschen Theaters zu Ehren Gerhart Hauptmanns.* Berlin 1932.

Der Fliegenfänger. In: *Uhu 8 (*1932), Heft 9.

934 *Himmelwärts.* Ein Märchen in zwei Teilen. Berlin (Der Neue Bühnenverlag) 1934. (Als unverkäufliches Manuskript vervielfältigt).

935 *Mit dem Kopf durch die Wand.* Komödie in (einem Vorspiel und) vier Akten. Wien-Berlin (Verlag Max Pfeffer) 1935. (Als unverkäufliches Manuskript vervielfältigt.)

937 *Don Juan kommt aus dem Krieg.* Schauspiel in drei Akten. Wien-Berlin (Verlag Max Pfeffer) 1937. (Als unverkäufliches Manuskript vervielfältigt).

Figaro läßt sich scheiden. Komödie in drei Akten. Wien-London (Verlag Max Pfeffer) 1937. (Als unverkäufliches Manuskript vervielfältigt.)

Der jüngste Tag. Schauspiel in sieben Bildern. Wien (Marton Verlag) o. J. (1937). (Als unverkäufliches Manuskript vervielfältigt).

Ein Dorf ohne Männer. Lustspiel in sieben Bildern. Wien (Marton Verlag) 1937. (Als unverkäufliches Manuskript vervielfältigt).

Pompeji. Komödie eines Erdbebens in sechs Bildern. Wien (Marton Verlag) 1937. (Als unverkäufliches Manuskript vervielfältigt).

1938 *Jugend ohne Gott.* Roman. Amsterdam (Allert de Lange) 1938.

Ein Kind unserer Zeit. Roman. Amsterdam (Allert de Lange) 1938.

I. Publikationen seit Horváths Tod

Gesamtausgaben

1970/71 *Gesammelte Werke in vier Bänden.* Herausgegeben von Traugott Krischke und Dieter Hildebrandt. Frankfurt 1970/71

1972 *Gesammelte Werke in acht Bänden.* Werkausgabe der edition suhrkamp. Herausgegeben von Traugott Krischke und Dieter Hildebrandt. Frankfurt 1972

Einzelveröffentlichungen

1938 *Ein Kind unserer Zeit.* Roman. New York-Toronto (Long mans, Green and Co) 1938.

1948 *Jugend ohne Gott.* Roman. Wien (Bergland) 1948.

1951 *Ein Kind unserer Zeit.* Roman. Wien (Bergland) 1951. (Mi einem Vorwort von Franz Werfel und der Grabrede Car Zuckmayers).

1955 *Der jüngste Tag.* Schauspiel in sieben Bildern. Emsdetten (Lechte) 1955. (Dramen der Zeit. Band 15. Mit einem Vor wort von Hellmut Schlien).

1959 *Figaro läßt sich scheiden.* Komö[illegible] in drei Akten. Wie (Bergland) 1959. (Mit einem Vorwort von Traugott Krischke)

1965 *Der ewige Spießer.* Erbaulicher Roman in drei Teilen. Wier (Bergland) 1965. (Neue Dichtung aus Österreich 119/120 Mit einem Vorwort von Franz Theodor Csokor).

1968 *Ein Kind unserer Zeit.* Roman. München (Deutscher Taschen buch Verlag) 1968. (dtv 525. Mit einem Vorwort von Fran Werfel und der Grabrede Carl Zuckmayers).

1969 *Rechts und Links.* Sportmärchen. Berlin (Hessling) 1969. (25 Druck der Berliner Handpresse. Mit zwölf vierfarbigen Ori ginal-Linolschnitten von Wolfgang Jörg und Erich Schönig Mit einem Nachwort von Walter Huder).

1970 *Geschichten aus dem Wiener Wald.* Volksstück in drei Tei len. Frankfurt (Suhrkamp) 1970. (Bibliothek Suhrkamp 247 Mit einer Nacherzählung von Peter Handke).

1971 *Der ewige Spießer.* Erbaulicher Roman in drei Teilen. Ber lin (Volk und Welt) 1971. (Volk und Welt Spektrum 31. Mi einer Nachbemerkung von Hansjörg Schneider).
Jugend ohne Gott. Roman. Frankfurt (Suhrkamp) 1971 (suhrkamp taschenbuch 17).

1972 *Sportmärchen.* Frankfurt (Insel) 1972. (Mit einem Nachwor von Traugott Krischke. Insel-Bücherei 963).
Kasimir und Karoline. Volksstück. Frankfurt. (Suhrkamp) 1972. (Bibliothek Suhrkamp 316. Herausgegeben und mit einem Nachwort versehen von Traugott Krischke).

Sammlungen und ausgewählte Schriften

1953 *Zeitalter der Fische.* Zwei Romane in einem Band. Wien (Bergland) 1953. (Mit einem Vorwort von Franz Werfel und der Grabrede Carl Zuckmayers).

·61 *Unvollendet...* Graz (Stiasny) 1961. (Stiasny-Bücherei 97. Eingeleitet und ausgewählt von Franz Theodor Csokor).
Stücke. Reinbek (Rowohlt) 1961. (Rowohlt Paperback 3. Mit einer Einführung von Traugott Krischke und einem Nachwort von Ulrich Becher).
·65 *Zeitalter der Fische.* Zwei Romane in einem Band. München (Kindler) 1965. (Kindler Taschenbuch 62. Mit einem Vorwort von Franz Werfel und der Grabrede von Carl Zuckmayers).
·68 *Zeitalter der Fische.* Drei Romane und eine Erzählung. Wien (Bergland) o. J. (1968). (Mit einer Gedächtnisrede Carl Zuckmayers statt eines Nachworts).
·69 *Dramen.* Berlin (Volk und Welt) 1969. (Ausgewählt von Dora Huhn und Hansjörg Schneider. Mit einem Nachwort von Hansjörg Schneider).
·71 *Von Spießern, Kleinbürgern und Angestellten.* Frankfurt (Suhrkamp) 1971. (Bibliothek Suhrkamp 285. Auswahl und Nachwort von Traugott Krischke).

'bersetzungen

)38 *A Child of our Time and beeing Youth without God.* London (Methuen & Co. Ltd.) 1938.
Er is een Moord begann. Amsterdam (Arbeiderspers) 1938.
Mlodziez bez Boga. Lwów (Wysawnictwo »Wierch«) 1938.
Mládí bez Boha. Praha 1938.
(Argentinische Ausgabe: nähere Angaben fehlen)
)39 *A Child of our Time.* New York (Dial Press) 1939.
The Age of Fish. New York (Dial Press) 1939.
Jeunesse sans Dieu. Paris (Plon) 1939.
Mladez bez Boga. Zagreb (Izdanje »Savremene Bibliotheke«) 1939.
Gudløs Ungdom. København (Poul Branner) 1939.
(Schwedische Ausgabe: nähere Angaben fehlen)
)40 *Soldat du Reich.* Paris (Plon) 1940.
)41 *Soldat del Reich.* Montevideo (Editorial Salamandra) 1941.
Ti san-ti-kuo-ti ping si. (Soldat des Dritten Reiches). Schanghai 1941, 1949, 1953.
)48 *Gioventu senza Dio.* Milano (Bompiani) 1948.
Un Figlio del nostro tempo. Milano (Bompiani) 1948.
Et Barn af vor Tid. København (Poul Branner) 1948.
)67 *La nuit italienne suivi de Cent cinquante marks et de Don Juan revient de guerre.* Paris (Gallimard) 1967.
)68 *Povídky z Vídeňského lesa a jiné hry.* Praha (Orbis) 1968.

III. Sekundärliteratur

Báder, Dezsö, *Einzelheiten aus der Literatur der Emigratio* Briefwechsel Ödön von Horváths und Franz Theodor Csoko mit Lajos Hatvany. In: *Acta Litteraria 12* (1970).

Ballin, Dolly Elisabet, *Irony in the dramatic work of Ödön v Horváth.* Diss. Washington 1969.

Becher, Ulrich, *Stammgast im Liliputanercafé.* In: Ödön von Ho váth, *Stücke.* Reinbek 1961.

Boelke, Wolfgang, *Die »entlarvende« Sprachkunst Ödön von Ho váths.* Studien zu seiner dramaturgischen Psychologie. Dis Frankfurt 1970.

Černý, Jindřich, *Ödön von Horváth.* In: Ödön von Horváth, *P vídky z Vídeňského lesa.* Praha 1968.

Csokor, Franz Theodor, *Ödön von Horváth.* In: *Der Monat* (1951), H. 33

Ders., *Ödön von Horváth.* In: *Neue literarische Welt* 3 (1952 Nr. 2

Ders., *Ödön von Horváth.* Zur 20. Wiederkehr seines Todestage In: *Wort in der Zeit* 4 (1958)

Ders., *In memoriam Ödön von Horváth.* In: *Unvollendet...* Gr 1961

Ders., *Ödön von Horváth. Briefe an einen Freund.* In: *Forum* 1 (1965)

Ders., *Vorwort.* In: Ödön von Horváth, *Der ewige Spießer.* Wie 1965.

Cyron-Hawryluk, Dorota, *Ödön von Horváth und seine Drame* Mit besonderer Berücksichtigung der sozialen Problematik. Dis Wrocław 1971.

Dietrich, Wolf, *Einige Grundsätze für heutige Horváth-Regi seure.* In: *Über Ödön von Horváth.* Frankfurt 1972.

Emrich, Wilhelm, *Die Dummheit oder das Gefühl der Unendlich keit.* Ödön von Horváths Kritik. In: W. E., *Geist und Wide geist.* Frankfurt 1965. Auch in: *Materialien zu Ödön von Horvát* Frankfurt 1970.

Federmann, Reinhard, *Das Zeitalter der Fische.* Ein Versuch üb Ödön von Horváth. In: *Wort in der Zeit 8* (1962) H. 6.

Feigl, Susanne, *Das Thema der menschlichen Wandlung in de Romanen Ödön von Horváths.* Diss. Wien 1970.

François, Jean-Claude, *Horváth ou du bon usage de la libert* In: *Courrier Dramatiques de l'Ouest* 82 (1969).

Fritz, Axel, *Ödön von Horváth als Kritiker seiner Zeit.* Studie zum Werk in seinem Verhältnis zum politischen, sozialen un kulturellen Zeitgeschehen. München 1973. Zugl. Diss. Stockholm 1970.

Ders., *Ödön von Horváth als Kritiker seiner Zeit.* In: *Akzente 19* (1972). Auch in: *Über Ödön von Horváth.* Frankfurt 1972.

Genno, Charles N., »Kitsch« elements in Horváth's »Geschichten aus dem Wiener Wald«. In: *German Quarterly* 45. 1972.

Gough, Elizabeth, *Möblierte Zimmer, stille Straßen.* Zur Dramaturgie des Schauplatzes in Ödön von Horváths Stücken. In: *Über Ödön von Horváth.* Frankfurt 1972.

Handke, Peter, *Horváth ist besser als Brecht.* In: *Theater im Umbruch. Eine Dokumentation aus »Theater heute«.* München 1970. Auch in: *Materialien zu Ödön von Horváth.* Frankfurt 1970.

Ders., *Totenstille beim Heurigen.* Eine Nacherzählung. In: Ödön von Horváth, *Geschichten aus dem Wiener Wald.* Frankfurt 1970.

Hildebrandt, Dieter, *Liebe, Tod und Kapital.* Über ein zentrales Motiv in Horváths Volksstücken. In: *Theater heute.* 11 (1970), Nr. 11. Auch in: *Materialien zu Ödön von Horváth.* Frankfurt 1970.

Ders., *Der Jargon der Uneigentlichkeit.* Zur Sprache Ödön von Horváths. In: *Akzente 19* (1972). Auch (gekürzt) in: *Materialien zu Ödön von Horváths »Geschichten aus dem Wiener Wald«.* Frankfurt 1972.

Ders. (Hrsg., zus. mit Traugott Krischke), *Über Ödön von Horváth.* Frankfurt 1972.

Hollmann, Hans, *Erstens: Keinen Dialekt.* Einige Grundsätze für künftige Horváth-Regisseure. In: *Frankfurter Allgemeine Zeitung.* 11. 12. 1971. Auch in: *Theater heute.* 12 (1971). Auch in: *Über Ödön von Horváth.* Frankfurt 1972.

Hollmann, Helga, *Gesellschaftskritik in den Volksstücken Ödön von Horváths.* Mag. Hausarbeit Berlin o. J. (1970). Auch (auszugsweise) in: *Materialien zu Ödön von Horváths »Geschichten aus dem Wiener Wald«.* Frankfurt 1972.

Huder, Walter, *Über die »Sportmärchen« und ihren Autor.* In: Ödön von Horváth, *Rechts und Links.* Sportmärchen. Berlin 1969.

Ders., *Inflation als Phänomen der Existenz.* Zum Schaffen Ödön von Horváths. In: *Welt und Wort* 25 (1970). Auch (gekürzt) in: *Materialien zu Ödön von Horváth.* Frankfurt 1970.

Ders., *Inflation als Lebensform.* In: *Neue Zürcher Zeitung* 19.12. 1971. Auch als: *Sonderdruck* anläßlich der Ödön von Horváth-Ausstellung in Gütersloh 1972.

Ders., *Zum Stand der Horváth-Forschung.* In: *Akzente* 2 (1972).

Hummel, Reinhard, *Die Volksstücke Ödön von Horváths.* Baden-Baden 1970. Zugleich Diss. Berlin.

Jenny, Urs, *Horváth realistisch – Horváth metaphysisch.* In: *Akzente* 4 (1971). Auch in: *Jahresring* 71/72.

Kahl, Kurt, *Das Zeitalter der Fische.* Ödön von Horváth zum 50 Geburtstag. In: *Freude an Büchern* 3 (1952).

Ders., *Dramatiker der deutschen Misere. Ödön von Horváth.* In *Wort in der Zeit* 12 (1966).

Ders., *Ödön von Horváth.* Velber 1966. (Friedrichs Dramatiker de Welttheaters Band 18). Auch (auszugsweise) in: *Materialien zu Ödön von Horváth.* Frankfurt 1970.

Kesting, Marianne, *Ödön von Horváth. Die Leibgarde der Bourgeoisie.* In: M. K., *Panorama des zeitgenössischen Theaters* München 1969.

Klotz, Volker, *Reagenzdramatik.* Ödön von Horváths Volksstücke und sein Stückvolk. In: *Frankfurter Rundschau.* 27.11.1971

Krammer, Jenö, *Ödön von Horváths Romane.* In: *Acta Litteraria* 10 (1968). Auch in: *Österreich in Geschichte und Literatur* 1 (1969).

Ders., *Ödön von Horváth.* Leben und Werk aus ungarischer Sicht Wien 1969.

Ders., *Ödön von Horváth.* Monographie. Budapest 1972.

Krischke, Traugott, *Der Dramatiker Ödön von Horváth.* Versuch einer Darstellung. In: *Akzente* 2 (1962).

Ders., *Ödön von Horváth.* In: Ödön von Horváth, *Figaro läßt sich scheiden.* Wien 1959.

Ders., *Einführung.* In: Ödön von Horváth, *Stücke.* Reinbek 1962

Ders., *Die Moral – ein wunderliches Restchen.* In: *twen* 4 (1971)

Ders., (Hrsg.), *Materialien zu Ödön von Horváth.* Frankfurt 1970

Ders., *Nachwort.* In: Ödön von Horváth, *Von Spießern, Kleinbürgern und Angestellten.* Frankfurt 1971.

Ders., *Marginalien zu Ödön von Horváth und seinen »Sportmärchen«.* In: Ödön von Horváth, *Sportmärchen.* Frankfurt 1972

Ders. (Hrsg.), *Materialien zu Ödön von Horváths »Geschichten aus dem Wiener Wald«.* Frankfurt 1972.

Ders., *Das Fräulein aus dem Wiener Wald.* Notizen zur Genealogie von Horváths »Geschichten aus dem Wiener Wald«. In: *Materialien zu Ödön von Horváths »Geschichten aus dem Wiener Wald«.* Frankfurt 1972.

Ders., *Nachwort.* In: Ödön von Horváth, *Kasimir und Karoline* Frankfurt 1972.

Kroetz, Franz Xaver, *Horváth von heute für heute.* In: *Theate*

heute 12 (1971). Auch in: *Über Ödön von Horváth.* Frankfurt 1972.
Kurzenberger, Hajo, *Die Volksstücke Horváths.* Diss. Heidelberg 1972.
Leoni, Maria Eugenia, *Ödön von Horváth – »Spießertum« e »Demaskierung des Bewußtseins«.* Diss. Bologna 1966.
Loram, Ian C., *Ödön von Horváth.* An appraisal. In: *Monatshefte für deutschen Unterricht, deutsche Sprache und Literatur* 59 (1967), Nr. 1.
Müller, Lieselotte, *Zum Ödön-von-Horváth-Nachlaß.* Bericht über den Versuch, ein Ordnungssystem für das Manuskriptmaterial des Ödön-von-Horváth-Archivs zu entwickeln. In: *Jahrbuch für Internationale Germanistik.* Jg. 3, Heft 2 (1971). Auch in: *Über Ödön von Horváth.* Frankfurt 1972.
Poppe, Andries, *Ödön von Horváth.* Eine Monographie. (Ontmoetingen. Literaire monografieen.) Brugge 1965.
Prokop, Hans F. (Hrsg.), *Katalog* anläßlich der Ödön-von-Horváth-Ausstellung im Museum des 20. Jahrhunderts. Wien 1971.
Reuther, Gabriele, *Ödön von Horváth.* Gestalt, Werk und Verwirklichung auf der Bühne. Diss. Wien 1962.
Rotermund, Erwin, *Zur Erneuerung des Volksstückes in der Weimarer Republik: Zuckmayer und Horváth.* In: *Volkskultur und Geschichte.* Berlin 1970. Auch in: *Über Ödön von Horváth.* Frankfurt 1972.
Saurel, René, *Renaissance de Horváth.* In: *Temps Mod.* 22 (1966/67).
Ders., *Vorwort.* In: Ödön von Horváth, *La nuit italienne.* Paris 1967.
Schlien, Hellmut, *Ödön von Horváth: Leben und Werk.* In: Ödön von Horváth, *Der jüngste Tag.* Emsdetten 1955.
Schmid, Christof, *Neue »Geschichten aus dem Wiener Wald« – oder: Was ist ein »neuer Horváth«?* In: *Materialien zu Ödön von Horváths »Geschichten aus dem Wiener Wald«.* Frankfurt 1972.
Schneider, Hansjörg, *Nachwort.* In: Ödön von Horváth, *Dramen.* Berlin 1969. Auch in: *Über Ödön von Horváth.* Frankfurt 1972.
Ders., *Nachwort.* In: Ödön von Horváth, *Der ewige Spießer.* Berlin 1971.
Seitz, Renate, *Studien zu den Dramen Ödön von Horváths.* Die Technik der ironischen Entlarvung. Hausarbeit der ersten philolog. Staatsprüfung. Bonn 1967.
Strauß, Botho, *Die vertierte Vernunft und ihre Zeit.* In: *Theater heute* 8 (1967).
Strelka, Joseph, *Ödön von Horváth. Die Wirklichkeit als Tor zum*

Irrealen. In: J. S., *Brecht Horváth Dürrenmatt*. Wege und Abwege des modernen Dramas. Wien 1962.

Wapnewski, Peter, *Ödön von Horváth und seine »Geschichten aus dem Wiener Wald«*. In: *Materialien zu Ödön von Horváths »Geschichten aus dem Wiener Wald«*. Frankfurt 1972.

Weigel, Hans, *Aufforderung Ödön von Horváth zu spielen*. In: *Theater und Zeit* 7 (1957).

Ders., *Horváth, Wien und die Wiener*. In: *Über Ödön von Horváth*. Frankfurt 1972.

Weisstein, Ulrich, *Ödön von Horváth, a child of our time*. In: *Monatshefte* 52 (1960).

Zipes, Jack D., *Horváths Dramaturgie der Isolierung*. Notizen zu seiner Wiederentdeckung. In: *Literatur und Kritik*. Heft 6 (1971).

Quellennachweis

Zu den Texten

Folgende Abkürzungen werden verwendet:
Ödön von Horváth, *Werkausgabe. Gesammelte Werke.* (Hg. Traugott Krischke und Dieter Hildebrandt.) Frankfurt 1972, 8 Bände: WA 1–8 *Materialien zu Ödön von Horváth.* (Hg. Traugott Krischke.) Frankfurt 1970 (edition suhrkamp 436): *Mat.*
Franz Theodor Csokor, *Zeuge einer Zeit. Briefe aus dem Exil 1933–1950.* München 1964: *Briefe*

Seite 5: WA 8, 680 f.
6/7: WA 5, 7
11: WA 5, 9 f.
13: WA 5, 9
22: WA 5, 8
30: Faksimile nach Seite 183 des Bildbandes »*Unser Jahrhundert im Bild*«. Gütersloh 1964
31: Faksimile nach Fritz Würthle »*Franz Ferdinands letzter Befehl*«. In: *Österreich in Geschichte und Literatur.* 13. Jg. Heft 6 (1971)
34/35: WA 5, 8
52: Faksimile nach dem *Programmheft* der Kammerspiele München zu Ödön von Horváths »*Sladek oder Die schwarze Armee*«. Spielzeit 1971/72
53: zitiert nach »*Von Versailles zum Zweiten Weltkrieg. Verträge zur Zeitgeschichte 1918–1939.* (Hg. Erhard Klöss.) München 1965
54: WA 2, 518 f.
56: WA 2, 663 f.
57: zitiert nach *Zeitungsausschnitten* im Ödön von Horváth-Archiv
61: *Das Tagebuch.* 12. Jg. Heft 1 (1931)
63: zitiert nach *Mat.*, Seite 20
66: WA 1, 142 f.
76: Faksimile nach Seite 121 aus »*Der Kleist-Preis 1912–1932*«. (Hg. Helmut Sembdner.) Berlin 1968
81: zitiert nach *Mat.*, Seite 34
85: WA 1, 157
90/91: Faksimile nach dem *Programmheft* des Niedersächsischen Staatstheaters, Hannover, zu Ödön von Horváths »*Kasimir und Karoline*«. Spielzeit 1970/71
95: WA 1, 321

100/101: Faksimile nach Seite 3 aus *Die Literarische Welt*. 9. Jg Nr. 1/2 (1933)
103: zitiert nach *Mat.*, Seite 73
104: zitiert nach *Mat.*, Seite 77
108: zitiert nach *Briefe*, Seite 61
114: WA 3, 249
117: zitiert nach *Briefe*, Seite 115
119: zitiert nach *Briefe*, Seite 116
120: zitiert nach *Briefe*, Seite 124
123: WA 2, 531
131: Faksimile eines unpublizierten Briefes von Hesse an Kubin (Frühjahr 1934) Hesse-Briefarchiv, Suhrkamp Verlag, Frankfurt
135: zitiert nach *Mat.*, Seite 93
137 bis 139: zitiert nach dem Abdruck im *Katalog* der Ödön von Horváth-Ausstellung im Museum des 20. Jahrhunderts. (Hg. Hans F. Prokop.) Wien 1971
144: Faksimile der Seiten 212 und 213 nach Deszö Báder *»Einzelheiten aus der Literatur der Emigration. Briefwechsel Ödön von Horváths und Franz Theodor Csokors mit Lajos von Hatvany.* In: *Acta Litteraria* 12 (1970)
150: WA 4, 427
151: WA 4, 421
152: WA 1, 175
153: WA 1, 179
154: WA 1, 191
156: WA 3, 154
163: WA 1, 360
165: WA 2, 644
172: WA 2, 436
182: Piero Rismondo, *Horváths Gegenwärtigkeit*. Rezension. In: *Die Presse*. Wien. 14. 3. 1971

Zu den Fotos und Reproduktionen

Elisabeth von Horváth/Ödön von Horváth-Archiv: Seiten 6 bis 11, 14 bis 21, 23 bis 29, 32, 36, 38 bis 51, 55, 58 bis 62, 64 bis 69, 72 bis 75, 78 und 79, 82 und 83, 85 bis 87, 92 bis 94, 96 bis 98, 104 bis 113, 116 bis 124, 126 bis 128, 130, 132, 139 bis 143, 145, 155, 157 bis 161, 166 bis 169

Dokumentationsstelle für neue österreichische Literatur, Wien: 70 und 71, 77, 80, 88 und 89, 102, 134 bis 137, 151, 159, 165, 171, 176

Bildarchiv der Österreichischen Nationalbibliothek, Wien: 12 und 13, 33 bis 35

Süddeutscher Verlag, München, Bilderdienst: 53

Ullstein-Bilderdienst, Berlin: 84, 95

Lore Bernbach, Düsseldorf: 154

Helmut Baar, Wien: 152, 156, 170 (unten)

Harry Croner, Berlin: 153

Doliwa, Wien: 150

Gunter Englert, Frankfurt am Main: 171

Roland Gall Filmproduktion, München: 179

Gretl Geiger, Wien: 172

Barbara Seidl-Herberz, Diessen: 170 (oben)

Schulda-Müller, Wien: 148

Hildegard Steinmetz, Gräfelfing: 173

Völkel, Wien: 148

Wiener Bühne: 149

Madeline Winkler-Betzendahl, Stuttgart: 162

Privat: 37, 115, 129, 164, 173, 178, 180 und 181

Ödön von Horváth im Suhrkamp Verlag

Gesammelte Werke. Herausgegeben von Dieter Hildebrandt und Traugott Krischke.

Band I: Volksstücke, Schauspiele
Revolte auf Côte 3018
Die Bergbahn
Italienische Nacht
Geschichten aus dem Wiener Wald
Kasimir und Karoline
Glaube Liebe Hoffnung
Mord in der Mohrengasse
Sladek oder Die Schwarze Armee
Sladek der schwarze Reichswehrmann
Der jüngste Tag
Don Juan kommt aus dem Krieg

Band II: Komödien
Zur schönen Aussicht
Rund um den Kongreß
Die Unbekannte aus der Seine
Hin und Her
Himmelwärts
Mit dem Kopf durch die Wand
Figaro läßt sich scheiden
Ein Dorf ohne Männer
Sklavenball
Pompeji

Band III: Lyrik, Prosa, Romane
Das Buch der Tänze
Sportmärchen
Erzählungen und Skizzen
Der ewige Spießer
Jugend ohne Gott
Ein Kind unserer Zeit

Band IV: Entwürfe, Varianten,
Fragmente und Varianten
Exposés
Theoretisches
Briefe, Verse

Bibliothek Suhrkamp

Geschichten aus dem Wiener Wald, Band 247
Von Spießern, Kleinbürgern und Angestellten, Band 285
Kasimir und Karoline, Band 316

edition suhrkamp

Materialien zu Ödön von Horváth
Herausgegeben von Traugott Krischke, Band 436
Materialien zu »Geschichten aus dem Wiener Wald«
Herausgegeben von Traugott Krischke, Band 533

suhrkamp taschenbücher

Jugend ohne Gott, st 17
Ödön von Horváth, Leben und Werk in Bildern, st 67
Der ewige Spießer, st 131

st 78 Wolfgang Koeppen
Das Treibhaus
192 Seiten
In dem Roman »Das Treibhaus« zeigt Wolfgang Koeppen am Schicksal eines Einzelnen die Anonymität politischer Mechanismen: das »Treibhaus«-Klima von Wahlkampf, Diplomatie und Parteiopportunismus, politische Praxis als Selbstzweck, als Geschäft. Wer sich nicht anpaßt, scheitert.

st 79 Hermann Hesse
Das Glasperlenspiel
624 Seiten
Dieses Buch enthält eine sehr konkrete Utopie. Nicht umsonst ist es den Morgenlandfahrern gewidmet, der Chiffre Hermann Hesses für die Künstler, Wissenschaftler und alle Menschen der Vergangenheit, Gegenwart und Zukunft, die untereinander darin verwandt sind, daß sie unabhängig von Parolen und Ansprüchen der Majoritäten ihre eigene Veranlagung konsequent verwirklichen, nicht aus Selbstzweck, sondern aus Notwendigkeit und somit zwangsläufig beitragen zur Objektivation des Geistes, der Wissenschaft und Humanität, die über allen Beschränkungen der Nationen, Rassen, Konfessionen und Ideologien steht.

st 97/98 Knut Ewald
Innere Medizin
ist das auf dem aktuellsten Stand befindliche, derzeit erhältliche Kompendium der Inneren Medizin. Als übersichtliches – den ganzen Stoff der Inneren Medizin stichwortartig resümierendes – Nachschlagwerk ist es das ideale Handbuch für alle Studierenden, Ärzte und interessierte Laien. Ein umfangreiches Sachwortverzeichnis ermöglicht eine rasche Orientierung.

st 103 Noam Chomsky
Kambodscha, Laos, Nordvietnam
Im Krieg mit Asien II
Aus dem Amerikanischen übersetzt von Jürgen Behrens
256 Seiten
Noam Chomsky, der Begründer der Generativen Grammatik, erregte weltweites Aufsehen durch sein kompromißloses Engagement gegen den Krieg der Vereinigten Staaten in Indochina. In seinem neuesten Buch *Im Krieg mit Asien,* dessen erster Teil als st 32 unter dem Titel *Indochina und die amerikanische Krise* erschien, legt Chomsky seine totale Verurteilung der amerikanischen Indochinapolitik dar. Dieser zweite Band enthält am Ende eine vollständige Literaturliste der zitierten Arbeiten und damit zugleich eine der wahrscheinlich umfassendsten amerikanischen Bibliographien zum Vietnamkrieg.

st 127 Hans Fallada
Tankred Dorst
Kleiner Mann – was nun?
Eine Revue von Tankred Dorst und Peter Zadek
208 Seiten
Tankred Dorst hat Hans Falladas 1932 erschienenen Roman »Kleiner Mann – was nun?« dramatisiert, der zu einem der größten Bucherfolge seiner Zeit wurde. In der Geschichte des kleinen Angestellten Pinneberg und der Arbeitertochter Lämmchen in den Jahren der großen Arbeitslosigkeit erkannten Hunderttausende ihre eigene Geschichte, ihren Alltag, ihre Welt. Die Dramatisierung von Tankred Dorst wurde für die Neueröffnung der Städtischen Bühnen Bochum unter der Leitung von Peter Zadek vorgenommen.

st 150 Zur Aktualität Walter Benjamins
Aus Anlaß des 80. Geburtstags von Walter Benjamin herausgegeben von Siegfried Unseld
288 Seiten
Der vorliegende Band »Zur Aktualität Walter Benjamins« nimmt wichtige, hier erstmals publizierte Abhandlungen auf, die aus diesem Anlaß geschrieben wor-

den sind, und Texte von Walter Benjamin, seine »Lehre vom Ähnlichen«, eine umfangreiche Variante der Arbeit »Über das mimetische Vermögen«, den autobiographisch bedeutenden Text »Agesilaus Santander«, den Briefwechsel mit Bertolt Brecht und drei Lebensläufe, deren letzter kurz vor seinem Tod geschrieben wurde.